딸아 한자어를 알면 공부가 쉬워진다

딸아 한자어를 알면 공부가 쉬워진다

발　행 | 2023년 8월 16일
저　자 | 나자유
펴낸이 | 한건희
펴낸곳 | 주식회사 부크크
출판사등록 | 2014.07.15.(제2014-16호)
주　소 | 서울특별시 금천구 가산디지털1로 119 SK트윈타워 A동 305호
전　화 | 1670-8316
이메일 | info@bookk.co.kr

ISBN | 979-11-410-3996-7

딸아
한자어를
알면
공부가
쉬워진다

나자유 지음

글을 시작하며

가족과 대화 중에 한자어가 나오면 막내딸에게 묻곤 한다. "이 단어 무슨 뜻이야?" 딸이 알 때도 있지만 모를 때가 많다. 요즘 어린이와 청소년들은 한자어에 약하다. 딸이 모를 때는 한자의 의미를 알려주어 단어의 뜻을 쉽게 설명해준다. 많은 단어들이 한자어에서 유래했기 때문에 한자를 알아야 그 단어의 뜻을 명확히 알 수 있기 때문이다.

과거에는 한자 교육을 많이 했다. 국어 교과서에도 중요한 한자어는 한자 표기가 되어 있었다. 하지만 요즘은 한자 교육도 부족하고 교과서에 한자가 표기되어 있지 않다. 또한 미디어의 발달과 스마트폰의 보급으로 학생들이 책을 읽는 시간이 적어졌다. 결국 학생들의 한자어 단어의 의미를 잘 모르는 경우가 많아졌다.

한자어는 국어 과목뿐만 아니라 과학, 수학, 사회 여러 과목에서 사용되기 때문에 한자어의 의미를 알면 단어의 개념을 이해하게 되어 공부에도 도움을 된다. 만약 한자어의 의미를 모른다면 단어의 개념을 억지로 암기해야 한다. 이렇게 암기한 것은 기억에 오래 남지도 않는다.

이 책은 다음과 같은 표로 되어 있다.

1	각도	
角度	[각] 뿔, [도] 정도	angle
각이 진 정도 즉 각의 크기		
도형의 각도를 재다.		

첫째 줄의 첫째 칸은 순번이고 다음은 한자어이다. 다음 줄은 한자어에 해당하는 한자와 한자의 뜻 그리고 영어 표현이다. 셋째 줄은 한자어의 풀이이고 넷째 줄은 한자어가 쓰이고 있는 예문이다. 이렇게 한자 뜻과 예문까지 보면 어느 정도 이 단어의 개념이나 느낌을 이해하게 된다.

이 책에는 초등학교, 중학교 그리고 고등학교에서 자주 쓰이고 꼭 알아야 할 572개 단어를 수록하였다. 아무쪼록 우리의 자녀들이 한자어를 더 알아서 공부하는 데 도움을 입기를 바란다.

CONTENT

1. 한자어의 중요성

한국어 단어 중 약 70% 이상이 한자어에서 유래한다. 우리가 무의식적으로 사용하는 한국어 대부분이 한자어이기 때문에 한자어의 의미를 알게 되면 한국어를 이해하는 데 많은 도움이 된다.

한자어는 몇 개의 한자가 결합 되어 구성되는데 한자는 각각 독립적인 의미를 지니며, 이들이 결합하면 새로운 의미를 형성한다. 그러므로 한자의 뜻을 알면 한자어를 쉽게 이해할 수 있게 된다.

글을 읽을 때 대다수 단어가 한자어이고 지명이나 사건 그리고 어려운 개념이 포함된 단어들은 한자어에서 유래된 경우가 많으므로 한자어를 알면 복잡한 개념이나 정보를 쉽게 이해할 수 있다. 그리고 자신의 생각과 아이디어를 더 명확하게 표현할 수 있게 된다.

특히 과학, 의학, 법률, 경제, 역사 등 전문적인 분야에서 한자어가 많이 사용된다. 이러한 분야에서는 특정 개념이나 용어를 효과적으로 표현하기 위해 한자어를 활용한다. 그러므로 초등학생 때부터 한자어의 정확한 의미를 알고 익힌다면 전문 분야의 어려운 단어를 이해하는데 기초가 될 것이다.

2. 한자어 사용 역사와 발전

한자어는 한국어에 가장 큰 영향을 미친 외래어이다. 한자어는 고대 중국에서 한국으로 전해졌으며, 한국어의 어휘, 문법, 문화에 큰 영향을 미쳤다.

한국어에서 한자어의 사용은 삼국 시대로 거슬러 올라간다. 당시 한국 반도의 세 나라(신라, 고구려, 백제) 중 하나인 고구려가 중국과 교역 및 문화 교류를 통해 한자를 도입했다. 그 후, 다른 삼국 시대의 나라들도 점차 한자 문화를 받아들였다.

한자어는 고려시대에 크게 발전했다. 고려시대는 중국의 문화가 한국에 널리 전파된 시대였기 때문에, 이 시기에는 많은 한자어들이 한국어로 유입되었다. 고려시대를 거치면서 한자는 학문과 문학, 법률, 기록 등 다양한 분야에서 사용되는 중요한 기록 방식이 되었다. 관청에서는 한자를 사용한 공문서를 발행했으며 학자들은 한자를 통해 중국과 교류하며 학문 연구를 진행했다.

한자는 당시 한국의 지식인들과 귀족들에게 지식과 권력의 상징이었다. 그들은 한자를 사용하여 교육, 학문, 역사 기록 및 문학 작품을 작성했다. 이는 동시대 중국의 영향력과 한자를 중심으로 한 동양 문화 교류의 결과였다.

한자어는 오늘날에도 한국어에서 중요한 역할을 하고 있습니다. 한자어는 한국어의 어휘, 문법, 문화를 이해하는 데 필수적이다. 또한, 한자어는 한국어를 다른 언어와 연결하는 데도 도움이 된다. 한국어는 한자어를 통해 중국어, 일본어, 베트남어와 같은 다른 동아시아 언어와 연관성이 있다.

한자어는 한국어의 중요한 부분입니다. 한자어를 잘 이해하고 활용하면 한국어를 더 잘 사용할 수 있다.

3. 수학 분야에서 중요한 한자어

1	가감승제	
加減乘除	[가] 더할 [감] 뺄 [승] 곱할 [제] 나눌	
addition, subtraction, multiplication, and division		
더하기, 빼기, 곱하기, 나누기의 사칙 계산.		
가감승제는 산수의 기본이다.		

2	각도	
角度	[각] 뿔 [도] 정도	angle
각이 진 정도 즉 각의 크기.		
도형의 각도를 재다.		

3	검산	
檢算	[검] 검사할 [산] 셈	check accounts
계산이 틀린지 맞는지 검사함.		
검산해 보니 계산이 틀렸음을 알게 되었다.		

4	결합법칙	
結合法則	[결] 맺을 [합] 합할 [법] 법 [칙] 법	associative law
세 수를 더하거나 곱할 때 앞의 두 수 또는 뒤의 두 수를 먼저 더하거나 곱하고 그 결과에 나머지 한 수를 더하거나 곱해도 결과는 같다는 법칙.		
이 연산에 대해서 결합법칙이 성립한다.		

5	계수		
係數	[계] 묶다, 매다 [수] 셀		coefficient
단항식이나 다항식에서 변수와 매인 부분 즉 변수 이외의 부분이 변수의 계수가 됨.			
2x는 2라는 숫자와 x라는 문자가 곱해진 것을 뜻하는데 여기서 2를 계수라고 말한다.			

6	공약수		
公約數	[공]여럿 [약] 묶을 [수] 셀		common measure
두 개 이상의 정수에 공통이 되는 약수.			
6과 10의 공약수는 1과 2이다.			

7	괄호		
括弧	[괄] 묶을 [호] 활		parenthesis
문장 부호의 하나. 소괄호(( )), 중괄호({ }), 대괄호([ ])가 있음.			
다음의 괄호 안에 알맞은 말을 써 넣으시오.			

8	교점		
交點	[교] 사귈 [점] 점		intersection point
둘 이상의 선이 서로 만나는 점.			
두 직선이 평행할 경우 교점은 없다. 일상생활에서 가로줄과 세로줄이 만나는 것과 같은 교점을 흔히 찾아볼 수 있다.			

9	기수		
基數	[기] 터, 기초 [수] 셀		cardinal number

사물의 수량을 나타내는 수.

'오 층이 불에 탔다'에서 오는 서수이고, '다섯 층이 불에 탔다'에서 다섯은 기수이다.

10	기함수		
奇函數	[기] 기특, 기이, 홀수 [함] 포함 [수] 셀		odd function

원점 대칭 함수로서 홀함수라고도 부름. 대표적인 원점 대칭 함수가 홀수 차항으로 이루어진 다항함수이다.(예 $y=x$, $y=x^3$)

기함수는 x의 함수 $f(x)$가 $f(-x)=-f(x)$라는 관계를 만족시킬 때, $f(x)$를 이르는 말이다.

11	기호		
記號	[기] 기록할 [호] 표지		sign

어떠한 뜻을 나타내기 위하여 쓰이는 부호, 문자, 표지 따위를 통틀어 이르는 말.

음수를 나타내는 기호는 '-'이다.

12	내각		
內角	[내] 안 [각] 뿔		interior angle

서로 만나는 두 직선의 안쪽 각 또는 다각형의 안쪽 각을 말함.

삼각형의 내각의 합은 180°이다.

13	내항		
內項	[내] 안 [항] 항목		internal terms

비례식의 안쪽에 있는 두 항. a:b=c:d에서 b와 c를 이름.

비례식에서 내항의 곱과 외항의 곱은 같다.

14	농도		
濃度	[농] 짙을 [도] 정도		concentration

액체나 혼합기체와 같은 용액을 구성하는 성분의 양의 정도.

소금물을 물을 넣으면 농도가 낮아진다.
이 오렌지 음료수는 농도가 높다.

15	다각형		
多角形	[다] 많을 [각] 뿔 [형] 모양		polygon

한 평면 위에 있으면서 유한개의 선분들이 차례로 이어져 이루어진 경로.

모든 변의 길이가 같고, 모든 내각의 크기가 같은 다각형을 정다각형이라 한다.

16	대각선		
對角線	[대] 대할 [각] 뿔 [선] 줄		diagonal

다각형에서 서로 이웃하지 아니하는 두 꼭짓점을 잇는 선분.

삼각형은 이웃하지 않은 꼭짓점이 없으므로 대각선이 없다.

17	대변		
對邊	[대] 대할 [변] 가장자리, 측면		opposite side

삼각형에서는 1개의 꼭짓점에 대하여 그 꼭짓점과 마주 보는 변, 사각형에서는 1개의 변에 대하여 그 변과 마주 보는 변.

□ABCD에서 변 AB와 변 DC, 변 AD와 변 BC를 서로 대변이라 한다.

18	대분수		
帶分數	[대] 지닐 [분] 나눌 [수] 셀		mixed number

정수가 진분수를 지니고 있는 수.

대분수 예를 들면 '3과 사분의 1'이다.

19	대입		
代入	[대] 바꿀 [입] 들		substitute

대수식에서 문자 대신 일정한 수치를 바꿔 넣는 일.

수를 대입해 문제를 풀다.

20	대칭		
對稱	[대] 대할 [칭] 맞을		symmetry

도형 따위가 어떤 기준이 되는 점이나 선 혹은 면을 중심으로 서로 꼭 맞서는 자리에 놓이는 것.

도화지 한 면에 그림을 그린 다음 접었다 펼치면 똑같은 그림이 반대편에 찍히잖아! 그런 것이 바로 대칭이야.

21	도형	
圖形	[도] 그림 [형] 모양	figure

그림의 모양이나 형태.

점, 선, 면, 체 또는 그것들의 집합을 통틀어 이르는 말을 도형이라 한다.

22	동류항	
同類項	[동] 같은 [류] 무리 [항] 항목	similar terms

문자 인수가 모두 같은 두 항을 '종류가 같은 항'이라는 뜻에서 동류항이라고 함.

2x와 4x가 서로 동류항 관계입니다.

23	동위각	
同位角	[동] 같은 [위] 자리 [각] 뿔	corresponding angles

두 직선과 그 두 직선과 만나는 다른 한 직선에 대하여 같은 위치에 있는 각.

평행선에서 동위각의 크기는 같다.

24	둔각	
鈍角	[둔] 무딜 [각] 뿔	obtuse angle

두 변이 이루는 꼭지가 무딘 각으로 90°보다는 크고 180°보다는 작은 각.

세 개의 내각 가운데 하나가 둔각인 삼각형을 둔각 삼각형이라 한다.

25	등식	
等式	[등] 같을 [식] 법	equality

수나 문자, 식을 등호(=)를 써서 나타내는 관계식.

양변에 같은 수를 곱하여도 등식은 성립한다.

26	등호	
等號	[등] 같을 [호] 표지	sign of equality

두 식 또는 두 수가 같음을 나타내는 표지.

등호의 반대말은 부등호이다.

27	무리수	
無理數	[무] 없을 [리] 이치 [수] 셀	irrational number

'리'를 비율로 생각하면 무리수는 비율이 없는 수.
실수이면서 분수의 형식으로 나타낼 수 없는 수.

실수 중에서 유리수가 아닌 수는 모두 무리수이다.

28	미만	
未滿	[미] 아닐 [만] 찰	under

정한 수효나 정도에 차지 못함.
미만은 기준이 되는 수를 포함하지 않으면서 그 수보다 작은 수를 나타내는 범위이다. 하지만 이하는 기준이 되는 수를 포함하면서 그 수보다 작은 수의 범위이다.

이곳은 18세 미만은 출입 금지 구역이다.

29	미지수	
未知數	[미] 아닐 [지] 알 [수] 셀	unknown quantity

방정식 따위에서 값이 알려져 있지 않은 수.

미지수의 반대말은 기지수이고, 변수의 반대말은 상수이다

30	방정식	
方程式	[방] [정] 한도 [식] 법	equation

비교하며 규정하는 식.

변수를 포함하는 등식에서, 변수의 값에 따라 참 또는 거짓이 되는 식.

어떤 문자가 특정한 값을 취할 때에만 성립하는 등식.

방정식에서 해가 없으면 불능이고, 해가 무수히 많으면 부정이다.

31	배분	
配分	[배] 나눌 [분] 나눌	distribute

몫을 따로 나눔.

배분법칙은 두 수의 합에 다른 한 수를 곱한 것이 그것을 각각 곱한 것의 합과 같다는 법칙이다.

32	배수	
倍數	[배] 곱 [수] 셀	multiple

어떤 수의 갑절이 되는 수.

4는 2의 배수이다.

33	배열	
排列	[배] 밀칠 [렬] 벌일	arrange
일정한 차례나 간격에 따라 벌여 놓음.		
다음 수의 배열에서 규칙을 찾으세요.		

34	변수	
變數	[변] 바뀔 [수] 셀	variable
어떤 관계나 범위 안에서 여러 가지 값으로 변할 수 있는 수.		
방정식에서 x는 변수를 뜻한다.		

35	부등	
不等	[부] 아닐 [등] 같을	inequlity
서로 같지 않음.		
부등식은 두 수 또는 두 식을 부등호로 연결한 식이다.		

36	부분	
部分	[부] 나눌 [분] 나눌	part
전체를 몇으로 나누어 구별한 것의 하나.		
어떤 집합의 한 부분이 되는 집합을 부분 집합이라 한다.		

37	분모	
分母	[분] 나눌 [모] 어미	denominator
무엇을 나누는 모체가 되는 것.		
분수에서 가로줄의 아래에 적는 수를 분모라고 한다.		

38	분산		
分散	[분] 나눌 [산] 흩을		variance
변수의 흩어진 정도를 계산하는 지표.			
분산이 작으면 자료는 평균값 주위에 모여 있게 되고, 분산이 크면 자료 가운데 평균값에서 멀리 떨어진 것이 많게 된다.			

39	분수		
分數	[분] 나눌 [수] 셀		fractional number
어떤 수를 다른 수로 나누는 것을 분자와 분모로 나타냄.			
분수를 소수로 표현하려면 분자를 분모로 나누어야 한다.			

40	분자		
分子	[분] 나눌 [자] 아이		molecule
분모가 업고 있는 아이 같은 숫자.			
분수에서 가로줄 위에 있는 수나 식을 분자라고 한다.			

41	비례		
比例	[비] 견줄 [례] 본보기		comparison
본보기와 비교해 봄.			
두 개의 비가 같음을 나타내는 식을 비례식이라 한다.			

42	비율		
比率	[비] 견줄 [율] 값		ratio
어떤 수를 다른 수에 비교한 값.			
자전거 이용자의 수와 자동차 이용자의 수의 비율은 3:1이다.			

43	사분면		
四分面	[사] 네 [분] 나눌 [면] 얼굴		quadrant

네 개의 부분으로 나누는 면.

그래프의 사분면을 이용하여 데이터를 분석합니다.
좌표평면의 네 개의 영역을 각각 제 1사분면, 2사분면, 3사분면, 4사분면이라 하며 이를 통틀어 사분면이라 한다.

44	상수		
常數	[상] 늘 [수] 셀		constant number

늘 일정한 값을 가진 수.

상수의 반대말은 변수이다.
가령, ax + b =0 식에서, a와 b가 바로 상수입니다.

45	서수		
序數	[서] 차례 [수] 셀		ordinal number

순서를 나타내는 수.

영어에서 보통 서수는 기수에 'th'가 붙은 경우가 많다.

46	선대칭		
線對稱	[선] 줄 [대] 대할 [칭] 맞을		line symmetry

주어진 선에 대해 대칭되는 점, 도형,
또는 그림의 한쪽과 다른 한쪽이 대칭적인 관계에 있는 것.

이 삼각형은 AB를 중심으로 선대칭을 가지고 있습니다.

47	선분	
線分	[선] 선 [분] 나눌	line segment

양 끝점을 가지고 있는 직선 또는 곡선의 일부분.

두 점을 연결하는 선분을 그려보세요.

48	소수	
小數	[소] 작을 [수] 셀	decimal

0보가 크고 1보가 작은 실수.

소수는 0 다음에 점을 찍어 나타낸다. 0.5는 소수입니다.

49	소수	
素數	[소] 본디 [수] 셀	prime number

약수가 1과 자기 자신뿐인 정수.

2, 3, 5, 7은 소수입니다.

50	수직	
垂直	[수] 드리울 [직] 곧을	verticality

똑바로 내려온 모양.

두 직선이 수직으로 교차한다.

51	수학	
數學	[수] 숫자 [학] 배울	mathematics

숫자와 패턴을 연구하고 이해하는 학문.

수학을 잘 공부하면 문제를 해결하는 능력이 향상됩니다.

52	시속	
時速	[시] 시간 [속] 속도	kilometers per hour

시간당 이동하는 속도.

시속 60킬로미터는 1시간 동안 이동하는 속도를 나타냅니다.

53	실수	
實數	[실] 실제로 있는 [수] 숫자	real number

실제로 존재하는 숫자.

실수는 소수점 아래로 무한히 많은 자리를 가질 수 있습니다.

54	암호	
暗號	[암] 몰래 [호] 표지	cipher

비밀로 된 문자나 기호.

암호를 사용하여 개인 정보를 안전하게 보호할 수 있습니다.

55	약분	
約分	[약] 가늘 [분] 나눌	simplification

나누어 간소하게 함.
분수의 분자와 분모를 더 이상 나눌 수 없는 상태로 만듦.

이 분수를 약분하면 더 간단한 형태로 나타낼 수 있습니다.

56	약수		
約數	[약] 가늘다, 약속 [수] 셀		divisor

어떤 수로 정확히 나누어지는 수.
주어진 수를 나눌 수 있는 수로서 나머지가 0인 수.

6의 약수는 1, 2, 3, 6입니다.

57	엇각		
엇角	[엇] 어긋나다 뜻의 접두사 [각] 뿔		alternate angles

한 직선이 다른 두 직선과 각각 다른 두 점에서 만날 때에, 서로 반대쪽에서 상대하는 각.

평행한 두 직선을 가로지르는 새로운 직선을 그으면, 동위각끼리 서로 같다. 또한 엇각끼리도 서로 같다.

58	여집합		
余集合	[여] 나머지 [집] 모일 [합] 합할		complement set

어떤 집합에 속하지 않는 원소들의 모임.
주어진 집합에서 제외된 나머지 요소들의 모임.

어떤 학급의 학생 중에서 수학을 좋아하는 학생들의 집합을 A라고 하면, 여집합 A′는 수학을 좋아하지 않는 학생들의 집합이다.

59	역수	
逆數	[역] 거꾸로 [수] 세다	reciprocal

어떤 수에 대해 그 수와 곱하면 1이 되는 수.

2의 역수는 1/2이다.

60	연산	
演算	[연] 펼칠 [산] 셀	calculation

정해진 규칙에 따라 계산하여 답을 구함.

연산을 통해 정확한 결과를 얻을 수 있습니다.

61	예각	
銳角	[예] 날카로울 [각] 모서리	acute angle

날카로운 모서리를 가진 각, 예리한 각도.

예각은 90도보다 작은 각을 의미합니다.

62	외각	
外角	[외] 밖 [각] 모서리	exterior angle

두 개의 직선이 한 직선과 각각 다른 점에서 만나서 생기는 두 선의 바깥쪽의 각.

이 삼각형에서 외각의 크기를 계산해 보세요.

63	외심	
外心	[외] 밖 [심] 마음	circumcenter

삼각형이나 다각형에서 외접원의 중심.

삼각형의 외심에서 세 꼭짓점까지의 거리가 모두 같다.

64	**외접원**	
外接圓	[외] 밖 [접] 접할 [원] 원	circumcircle
삼각형의 세 변의 중심점에 외접하는 원.		
외접원은 삼각형의 세 변의 중심점에 외접하는 원입니다.		

65	**우함수**	
偶函數	[우] 짝, 짝수 [함] 포함 [수] 셀	even function
y축에 대하여 대칭인 함수.		
우함수는 짝수 함수라는 뜻으로 짝함수라고 한다.		

66	**원주**	
圓周	[원] 둥글 [주] 둘레	circumference
원의 둘레. 일정한 점에서 같은 거리에 있는 점의 자취.		
원의 원주는 지름과 관련이 있습니다.		

67	**유리수**	
有理數	[유] 있을 [리] 이치 [수] 수	rational number
비율이 있는 수.		
유리수는 소수가 분수로 표현되는 수를 의미합니다.		

68	**인수**	
因數	[인] 이유, 인할 [수] 셀	factor
인은 '원인, 요인, 인자'란 뜻으로, 인수는 인자가 되는 수.		
1, 2, 3, 6, 7, 14, 21, 42는 모두 42의 인수이다.		

69	입체		
立體	[입] 설 [체] 몸		solid
세워 놓은 물체. 삼차원의 공간에서 여러 개의 평면이나 곡면으로 둘러싸인 부분.			
입체적인 도형은 세 가지 차원을 가지며, 길이, 너비, 높이를 가지고 있습니다.			

70	자연수		
自然數	[자] 스스로 [연] 그러할 [수] 셀		natural number
1, 2, 3 등과 같이 수의 발생과 동시에 자연적으로 있었다고 생각되는 가장 소박한 수.			
자연수는 1부터 시작하여 무한히 큰 수까지 순서대로 이어지는 수의 집합을 말합니다.			

71	전개도		
展開圖	[전] 펼칠 [개] 열 [도] 그림		planar figure
펼치고 열어서 그린 도형. 입체의 표면을 한 평면 위에 펴 놓은 모양을 나타낸 그림.			
전개도는 물체의 표면을 펼친 상태로 그림으로 나타낸 것입니다.			

72	접선		
接線	[접] 닿을 [선] 선		tangent line
곡선과 한 점에서 닿는 직선.			
원의 접선은 그 점에서 원과 한 교점을 가지는 직선입니다.			

73	절편	
絶篇	[절] 끊을 [편] 조각	intercept

한자로는 선이 축을 끊어 나타낸 점을 뜻하고
영어(intercept)는 선과 축이 가로막힌 점을 뜻함.
평면 위에 직교좌표계가 정의되어 있을 때, 함수 또는 관계의
그래프가 좌표축과 만나는 점.

x 절편은 일차 함수 그래프와 x축과 만나는 점의 x 좌표를 말
한다.

74	정비례	
正比例	[정] 바르다 [비] 견줄 [례] 본보기	direct proportion

두 값이 일정한 비율로 변화하는 관계.

두 수가 정비례 관계에 있을 때, 하나가 증가하면 다른 하나도
같은 비율로 증가합니다.

75	정수	
整數	[정] 가지런할 [수] 셀	integer

부호가 없는 자연수와 0을 포함하는 수.

정수는 양의 정수, 음의 정수, 그리고 0으로 이루어진 수의 집
합을 말합니다.

76	중간	
中間	[중] 가운데 [간] 사이	middle

어떤 범위나 구간의 가운데에 위치하는 것.

등급, 크기, 차례 따위의 가운데 값을 중간값이라고 한다.

77	중앙치	
中央値	[중] 가운데 [앙] 가운데 [치] 값	median

유한개의 자료의 경우 자료의 값을 작은 것부터 순서대로 나열할 때 가운데에 위치하는 것.

변량의 개수가 홀수이면 한가운데 있는 값이 중앙치가 된다. 변량의 개수가 짝수이면 한가운데 있는 두 수의 값의 평균이 중앙치가 된다.

78	직각	
直角	[직] 곧을 [각] 각도	right angle

90도로 교차하는 두 선분 사이의 각도.

정사각형의 각 모서리는 모두 직각을 형성합니다.

79	진분수	
真分數	[진] 참 [분] 나눌 [수] 셀	proper fraction

한자는 진짜 분수, 참 분수. 분자가 분모보다 작은 형태의 분수.

원래 분수의 참 의미였다는 뜻에서 분자가 분모보다 작은 분수를 진분수라고 부르게 되었다.

80	차수	
次數	[차] 따를, 버금 [수] 수	degree

항에서 어떤 문자가 거듭하여 곱해진 수.

이 방정식의 차수는 변수의 최고 차수로 결정됩니다.

81	초과		
超過	[초] 넘을 [과] 지날		excess
어떤 범위를 넘어서거나 지나감.			
이 행사에 예상을 초과하는 많은 사람들이 참가하였습니다.			

82	축척		
縮尺	[축] 줄일 [척] 자, 자루		scale
지도 따위를 실제보다 축소하여 그릴 때 축소한 비례의 척도.			
이 그림은 1:100 축척으로 그려졌습니다.			

83	통계		
統計	[통] 묶을 [계] 셀		statistics
숫자를 모아 계산하는 것.			
통계적인 분석을 사용하여 데이터를 분석하였습니다.			

84	통분		
通分	[통] 통할 [분] 나눌		reduction to a common denominator
공통의 수로 나눔.			
이 문제에서는 분수의 분모를 통분하여 계산해야 합니다.			

85	평균		
平均	[평] 평평할 [균] 같을, 고를		average
놓고 낮음이 없이 평평하고 고르게 함.			
이 학급의 수학 성적의 평균은 90점입니다.			

86	함수		
函數	[함] 넣을 [수] 셀		function

한자어 뜻은 안에 넣어져 있는 변수.
두 개의 변수 x, y 사이에서, x가 일정한 범위 내에서 값이 변하는 데 따라서 y의 값이 종속적으로 정해질 때, x에 대하여 y를 이르는 말.

이 수식은 x와 y 사이의 함수 관계를 나타냅니다.

87	합동		
合同	[합] 합할 [동] 한가지		congruence

두 개의 도형이 크기와 모양이 같아 서로 포개었을 때 꼭 맞는 것.

두 도형이 서로 합동이면 대응변의 길이가 서로 같고, 대응각의 크기가 서로 같다.

88	항등식		
恒等式	[항] 항상 [등] 무리, 같을 [식] 법		identity

한자로 해석하면 항상 성립하는 등식.
변수를 포함한 등식으로 변수에 임의의 값을 대입하여도 성립하는 등식.

등식에는 항등식과 방정식이 있다.
항등식의 특징은 좌변 우변이 같다는 성질이 있다.

89	현	
弦	[현] 활대에 걸어서 켕기는 줄	chord

원 또는 곡선의 호의 두 끝을 잇는 선분.

동일한 크기의 원에서 두 부채꼴 간에 현의 길이가 같으면 중심각의 크기가 같다.

90	확률	
確率	[확] 굳을 [률] 비율	probability

사건이 발생할 비율 또는 가능성.

이 사건의 발생 확률은 50%입니다.

4. 과학 분야에서 중요한 한자

91	가상		
假想	[가] 임시, 거짓 [상] 생각		suppose

사실이 아니거나 사실 여부가 분명하지 않은 것을 사실이라고 가정하여 생각함.

가상 현실 / 가상의 인물.
이의 상황을 머릿속으로 상상하며 그린 그림을 가상도라고 한다.

92	가설		
假設	[가] 임시 [설] 말씀		hypothesis

가정을 바탕으로 설정한 명제.

이 실험에서는 새로운 가설을 검증하기 위해 다양한 실험을 수행했습니다.

93	가열		
加熱	[가] 더할 [열] 더울		heating

열을 더하거나 높이는 것.

이 액체를 가열하여 증발시키십시오.

94	간격		
間隔	[간] 사이 [격] 사이 뜰		interval, space

두 사물 또는 사건 사이의 공간이나 시간 차이.

이 두 지점 사이의 거리를 정확히 측정하기 위해 간격을 측정했습니다.

95	간이		
簡易	[간] 간단할 [이] 쉬울		simple

간단하고 쉬움.

마침 사정이 급했는데, 간이 변소라도 있어서 나는 위기를 모면했다.

96	감각		
感覺	[감] 느낄 [각] 깨달을		sense

느낌이나 지각으로부터 오는 인지.

내 둘째 아들은 패션 감각이 뛰어나다.

97	감전		
感電	[감] 느낄 [전] 전기		electric shock

전기가 통하고 있는 도체에 몸의 일부가 닿아 그 충격을 느낌.

전기 안전에 신경을 쓰지 않으면 감전 사고가 발생할 수 있습니다.

98	건습구		
乾濕球	[건] 마를 [습] 젖을 [구] 공		dry and wet bulb

온도계의 수감부를 가제 등으로 싸서 물에 적신 것을 습구, 아무것도 붙이지 않는 것을 건구 그리고 이들 양자를 나란히 놓은 것을 건습구라고 함.

건습구 습도계는 건구온도와 습구온도의 2가지 온도를 측정한 후 습도표로 습도를 알아내는 측정 기구이다.

99	검증		
檢驗	[검] 검사할 [증] 증명할		verification

확인하고 검증하는 것.

이론의 정확성을 확인하기 위해 실험적으로 검증을 진행했습니다.

100	경유		
輕油	[경] 가벼울 [유] 기름		diesel fuel

콜타르를 증류할 때, 맨 처음 얻는 가장 가벼운 기름.
80~170℃ 사이에서 얻어진다.

경유는 일반적으로 디젤 엔진 연료로 사용되는 가볍고 밀도가 높은 유류입니다.

101	고도		
高度	[고] 높을 [도] 정도		height

높은 정도.
평균 해수면 따위를 0으로 하여 측정한 대상 물체의 높이.

비행기는 고도를 높이며 하늘을 날아갔다.

102	고체		
固體	[고] 굳을 [체] 몸		solid

형태가 단단하고 변하지 않는 물체.

얼음은 물이 고체 상태로 굳어진 것입니다.

103	공룡		
恐龍	[공] 두려울 [룡] 용		dinosaur

두렵게 보이는 용.
고대의 굉장히 큰 파충류로서 지금은 멸종된 종.

공룡은 수백만 년 전에 지구에 존재했던 동물로, 현재는 화석으로만 남아있다.

104	공모		
公募	[공] 드러낼 [모] 뽑을		public recruitment

대중에게 공개적으로 드러내어 모집함.

이 회사에서는 신입사원을 공모하여 채용하는 프로그램을 운영하고 있습니다.

105	공생		
共生	[공] 함께 [생] 살		symbiosis

서로 협력하여 함께 살아가는 상호 의존적인 관계.

식물과 동물 사이에는 다양한 형태의 공생 관계가 존재합니다.

106	공전		
公轉	[공] 섬길, 드러낼 [전] 회전할		revolution

천체가 다른 천체를 섬기듯이 그 둘레를 회전함.

지구는 태양 주변을 공전하며 한 해를 완성합니다.

107	광학	
光學	[광] 빛 [학] 배울	optical science

빛의 성질과 현상을 연구하는 학문.

광학은 빛의 반사, 굴절, 차폐 등을 연구하는 학문 분야입니다.

108	광합성	
光合成	[광] 빛 [합] 합할 [성] 이룰	photosynthesis

빛을 이용하여 식물이 탄소와 물을 이용하여 양분을 합성하는 과정.

광합성은 식물이 빛을 흡수하여 탄소와 물을 이용하여 산소와 포도당을 생성하는 과정입니다.

109	굴절	
屈折	[굴] 굽힐 [절] 꺾을	refraction

빛이나 파동이 다른 매질로 들어갈 때 경로를 굽히는 현상.

빛이 물속으로 들어갈 때 굴절이 일어나며, 이로 인해 빛의 방향이 변화합니다.

110	균열	
龜裂	[균] 갈라질 [열] 찢어질	crack

물질이나 표면에서 생긴 좁고 긴 갈라진 틈, 균열.

바위의 균열을 통해 지하수가 흐르는 경우가 있습니다.

111	**기생**	
寄生	[기] 맡길 [생] 살	parasitism
다른 생물에 의존하여 생활하며 이로부터 이익을 얻는 생물.		
기생은 호스트 생물에 의존하여 생존하고 번식하는 생물이다.		

112	**기압**	
氣壓	[기] 공기 [압] 누를	atmospheric pressure
대기 주변에 작용하는 압력.		
기압이 낮아지면 비가 올 확률이 높아집니다.		

113	**기중기**	
起重機	[기] 일어날 [중] 무거운 [기] 틀	crane
무거운 물체를 들어올리기 위해 사용되는 기계.		
공사 현장에서는 기중기를 사용하여 자재를 올리고 내립니다.		

114	**기체**	
氣體	[기] 공기 [체] 모양	gas
형태가 없이 공간을 차지하는 물질.		
산소와 질소는 기체 상태로 존재합니다		

115	**나침반**	
羅針盤	[나] 펼칠 [침] 바늘 [반] 소반	compass
지도 방향을 알려주기 위해 사용되는 도구.		
나침반은 지구의 자기장을 이용하여 방향을 찾는 도구입니다.		

116	낙엽	
落葉	[낙] 떨어질 [엽] 잎	fallen leaves

나뭇잎이 떨어짐.

가을이 되면 노란, 붉은 낙엽들이 땅에 떨어져 있습니다.

117	낙하산	
落下傘	[낙] 떨어질 [하] 아래 [산] 우산	parachute

공중에서 떨어질 때 낙하 속도를 감소시키고 안전하게 착지할 수 있는 장치.

군인들은 비행기에서 뛰어내린 뒤 삼 초 후에 낙하산을 펼쳤다.

118	난로	
煖爐	[난] 따뜻할 [로] 화로	stove

방안을 따뜻하게 해주는 화로.

겨울에는 난로를 통해 방을 따뜻하게 난방합니다.

119	난류	
難流	[난] 어지러울 [류] 흐를	turbulence

지면이나 공기와의 마찰 따위로 말미암아 공기가 작은 소용돌이를 일으키며 불규칙하게 흐르는 현상.

비행기가 난류 지역을 지나면서 흔들렸습니다.

120	노폐물		
老廢物	[노] 늙을 [폐] 그만둘 [물] 만물		waste material
낡아서 쓸모없이 된 물건.			
정수기를 사용하면 물에서 노폐물과 유해 물질을 걸러낼 수 있습니다.			

121	농축		
濃縮	[농] 짙을 [축] 줄일		enrichment
액체를 진하게 또는 바짝 졸임.			
액체를 졸여서 진하게 만든 액체를 농축액이라고 한다.			

122	단면		
斷面	[단] 끊을 [면] 낯		section
어떤 물체를 가로질러 자른 면.			
건축 도면에는 건물의 단면이 상세히 표시되어 있습니다.			

123	단층		
斷層	[단] 끊을 [층] 층		fault
지각 변동으로 생긴 지각의 틈을 따라 지층이 아래위로 어그러져 층을 이룬 현상.			
지층은 양쪽에서 잡아당기는 장력, 양쪽에서 미는 횡압력, 중력 등의 힘으로 끊어진다. 이때 끊어진 지층이 움직이지 않았다면 절리(節理)이고, 움직였다면 단층이 된다.			

124	도식		
圖式	[도] 그림 [식] 형식		schema

그림이나 그래프를 사용하여 정보를 시각적으로 나타내는 것.

그는 복잡한 전기 회로를 도식으로 그려 쉽게 설명했다.

125	도체		
導體	[도] 이끌 [체] 몸		conductor

전기를 효율적으로 전달하거나 전도하는 물질이나 물체.
도전체의 준말.

전기를 띤 도체에 다른 도체를 도선으로 연결하면 전기가 흘러서 이동한다.

126	동물		
動物	[동] 움직일 [물] 만물		animal

살아 움직이며 생활하는 물체.
생명력이 있는 유기체로서 세포로 구성된 생명체.

사자, 호랑이, 코끼리 등은 육상 동물의 대표적인 예입니다.

127	말초		
末梢	[말] 끝 [초] 나무 끝		tip of a twig

중심이나 핵심에서 떨어진 끝부분.
나뭇가지의 끝에서 갈리어 나간 가는 가지.

말초 신경계는 중추 신경계와 연결되어 몸의 감각과 운동 기능을 조절합니다.

128	**망원경**		
望遠鏡	[망] 바라볼 [원] 멀 [경] 거울		telescope

멀리 있는 물체를 가까이서 관찰하기 위해 사용되는 광학 기기.

망원경을 통해 우주의 별과 행성들을 자세히 관찰할 수 있습니다.

129	**물리학**		
物理學	[물] 만물 [리] 이치 [학] 배울		physics

사물의 바른 이치를 연구하는 학문.

물리학은 우주의 기원부터 원자의 구조, 운동의 법칙 등을 연구하는 학문입니다.

130	**미생물**		
微生物	[미] 작을 [생] 살 [물] 만물		microorganism

매우 작은 크기의 생물로서 유기체나 세포로 이루어진 생물체.

미생물은 자연환경에 광범위하게 분포하며, 식물, 동물, 인간 등에 영향을 미칠 수 있습니다.

131	**반도체**		
半導體	[반] 반 [도] 이끌 [체] 몸		semiconductor

전기를 이동시키는 성질이 도체의 절반 정도 되는 물질.

반도체는 현대 전자 기기와 컴퓨터 등의 핵심 부품으로 사용되는 중요한 물질입니다.

132	**발전기**		
發電機	[발] 일으킬 [전] 전기 [기] 틀		generator

기계적인 에너지를 전기 에너지로 변환해주는 장치.

발전기는 연료나 운동 에너지 등을 이용하여 전기를 생성하는 중요한 기계 장치입니다.

133	**방호벽**		
防護壁	[방] 막을 [호] 보호할 [벽] 벽		defensive wall

외부의 위협이나 위험으로부터 보호하기 위해 세운 벽이나 장벽.

방호벽은 군사적인 목적이나 안전을 위해 건설되는 중요한 구조물입니다.

134	**방화**		
防火	[방] 막을 [화] 불		fire prevention

화재를 미리 막음.

방화 시설과 안전 규정을 준수하여 화재로부터 건물을 보호해야 합니다.

135	**분수**		
噴水	[분] 뿜을 [수] 물		fountain

물을 뿜어내는 장치 또는 현상.

공원에는 아름다운 분수가 설치되어 있어 물이 아름다운 모습으로 뿜어져 나옵니다.

136	사암	
砂岩	[사] 모래 [암] 바위	sandstone

모래로 이루어진 암석으로, 고온과 압력에 의해 형성됨.

사암은 모래로 이루어져 있으며, 주로 강둑, 산 등에서 발견됩니다.

137	색소	
色素	[색] 빛 [소] 바탕	pigment

색깔을 형성하고 주는 물질로, 색을 내는 원료나 재료를 가리킴.

이 화장품에는 다양한 색소가 함유되어 있어 다양한 색상을 표현할 수 있습니다.

138	생태	
生態	[생] 살 [태] 모양	ecology

생물이 살아가는 모양이나 상태.

생태학은 생물체와 환경 간의 상호작용 및 생태계의 구조와 기능을 연구하는 학문입니다.

139	석유	
石油	[석] 돌 [유] 기름	petroleum

암석층을 뚫고 그 아래에서 파낸 기름.

석유는 에너지 및 다양한 산업 분야에서 사용되는 중요한 자원으로 알려져 있습니다.

140	세정	
洗淨	[세] 씻을 [정] 깨끗할	cleaning

물이나 청소제 등을 사용하여 물건이나 표면을 깨끗하게 만들거나 정화하는 행위.

일상생활에서는 세정제를 사용하여 집 안을 청소하거나 손을 씻는 등의 세정 작업을 합니다.

141	송신탑	
送信塔	[송] 보낼 [신] 소식 [탑] 탑	transmitting tower

무선 통신의 송신 안테나 장치가 되어 있는 높은 철탑.

송신탑은 보통 철 구조물로서 산이나 높은 건물 혹은 전파 음영 지역 등에 설치된다.

142	수분	
受粉	[수] 받을 [분] 가루	pollinate

종자식물에서 수술의 화분을 암술이 받는 일.

수분은 주로 곤충, 새, 바람 또는 사람의 손에 의해 이루어진다.

143	수족관	
水族館	[수] 물 [족] 무리 [관] 집	aquarium

물속에서 수생 생물을 길러서 그 생태를 관찰하고 감상할 수 있는 시설.

주말에 가족과 함께 수족관을 방문하여 아름다운 해양 생물들을 감상했습니다.

144	수증기		
水蒸氣	[수] 물 [증] 찔 [기] 기운		steam

물이 증발하여 생긴 기체.

한여름에는 열기에 의해 땅 위로 수증기가 차오르고, 찬바람과 만나면 구름이 형성됩니다.

145	순환		
循環	[순] 돌아다닐 [환] 고리		circulation

어떤 경로나 과정을 따라서 계속해서 돌아가는 것.

혈액은 심장을 통해 몸 전체를 순환하며 산소와 영양소를 신체 각 부위로 운반합니다.

146	승강기		
升降機	[승] 오를 [강] 내릴 [기] 틀		elevator

사람이나 물건을 위아래로 올리거나 내리는 기계 또는 장치.

높은 건물에서는 승강기를 이용하여 층간 이동을 합니다.

147	식물원		
植物園	[식] 심을 [물] 만물 [원] 정원		botanical garden

식물들을 수집, 보존, 전시하거나 연구하기 위해 조성된 정원.

지역의 식물 다양성을 보존하고 연구하기 위해 식물원을 운영합니다.

148	압축		
壓縮	[압] 누를 [축] 줄일		compress

물체나 물질을 작은 공간으로 압력을 가하여 부피를 줄임.

압축은 기체나 액체, 고체 등 다양한 형태의 물질을 작은 공간에 저장하거나 운반하기 위해 사용됩니다.

149	역암		
礫巖	[역] 조약돌 [암] 바위		conglomerate

자갈 사이에 모래나 진흙 따위가 채워져 굳은 것으로, 자갈이 전체의 30% 이상을 차지함.

역암은 모래보다 알갱이가 더 굵은 자갈로 이루어진 암석이다.

150	염기		
鹽基	[염] 소금 [기] 터		base

수용액에서 수산화 이온을 내거나 수소 이온을 흡수하는 물질. 흔히 알칼리라고 부르며 산에 대응되는 물질로 서로 중화반응을 일으켜 염과 물을 만듦.

화학 실험에서는 염기와 산을 조절하여 용액의 pH를 변화시킵니다.

151	영하		
零下	[영] 영 [하] 아래		sub zero

어떤 기준점보다 낮은 온도. 일반적으로 물의 어는점인 0°C를 기준으로 하여 0°C보다 낮은 온도를 영하라고 함.

오늘은 영하 온도로 추워서 외출할 때는 따뜻하게 입어야 합니다.

152	**용매**		
溶媒	[용] 녹일 [매] 맺어줄		chemical solvent

어떤 액체에 물질을 녹여서 용액을 만들 때 그 액체를 가리킴.

용매인 물에 소금을 녹여 가면 어느 순간부터는 더 이상 녹지 않고 가라앉게 되는데, 이때의 용액을 소금의 포화 용액이라 한다.

153	**용암**		
鎔巖	[용] 녹일 [암] 바위		lava

화산의 분화구에서 분출된 마그마. 또는 그것이 냉각·응고된 암석.

화산 분화로 인해 용암이 지표면으로 분출되었습니다.

154	**용질**		
溶質	[용] 녹일 [질] 바탕		solute

용액 속에 녹아 있는 물질.
액체에 다른 액체가 녹아 있을 때 양이 적은 쪽을 가리킴.

소금은 물에 용해되어 용질로써 존재합니다.

155	**용해**		
溶解	[용] 녹을 [해] 풀		dissolution

물질이 다른 물질에 녹아서 분자 수준에서 혼합되는 과정을 말함.

설탕이 물에 용해될 때, 설탕 분자는 물 분자와 상호작용하여 분산됩니다.

156	운석		
隕石	[운] 떨어질 [석] 돌		meteorite

우주에서 지구로 운반되어 땅에 떨어진 돌이나 바위.

운석은 주로 소행성이나 혜성의 조각들로서 우주에서 지구로 운반되며, 지구 대기권을 통과하는 과정에서 열과 압력에 노출됩니다.

157	원유		
原油	[원] 본디 [유] 기름		crude oil

땅속에서 뽑아낸 정제하지 않은 본래 대로의 기름.

원유는 지구의 지하에 존재하는 자연 유기물로서 압력과 열의 영향을 받아 변화한 것입니다.

158	월식		
月蝕	[월] 달 [식] 갉아먹을		lunar eclipse

지구의 그림자로 인해 달이 일시적으로 가려지는 현상.

월식은 지구의 그림자가 달을 가리는 현상으로, 보통 밤하늘에서 관측됩니다.

159	위성		
衛星	[위] 지킬 [성] 별		satellite

행성이나 천체 주위를 돌면서 그 주체에게 종속되어 움직이는 천체.

인공위성은 우주로 발사되어 지구 주위를 돌면서 다양한 역할을 수행합니다.

160	유연성	
柔軟性	[유] 부드러울 [연] 연할 [성] 성질	flexibility

물체나 물질이 부드럽고 쉽게 구부러지거나 변형될 수 있는 성질.

고무는 높은 유연성을 가지고 있어 구부리거나 늘어날 수 있습니다.

161	유충	
幼蟲	[유] 어릴 [충] 벌레	larva

알에서 나온 후 아직 다 자라지 아니한 벌레.

굼벵이는 매미의 유충입니다.

162	응결	
凝結	[응] 엉길 [결] 결합할	condensation

한데 엉기어 뭉침.
공기가 이슬점 이하로 냉각되어서 포화상태가 되어 수증기가 물방울로 맺히는 현상을 가리킴.

하늘 높이 올라간 수증기는 온도가 내려가면 응결하여 구름이 됩니다.

163	이암	
泥巖	[이] 진흙 [암] 바위	mudstone

진흙이 쌓여서 딱딱하게 굳어 이루어진 암석.

이암은 알갱이의 크기가 진흙과 같이 작은 것이 굳어져서 된 암석을 말한다.

164	인화	
引火	[인] 끌 [화] 불	ignite

물질이 불꽃이나 불에 의해 타오르는 현상.

인화가 잘 되는 물질은 가스등 옆에 두지 마라.

165	일식	
日蝕	[일] 해 [식] 좀먹을	solar eclipse

지구의 특정 지역에서 태양이 달에 의해 가려지는 현상.

일부를 가리는 현상을 부분 일식, 전부를 가리는 현상을 개기
일식이라 하고, 태양의 중앙부만을 가려 변두리는 고리 모양으
로 빛나는 현상을 금환식이라 한다.

166	자석	
磁石	[자] 자석 [석] 돌	magnet

자성을 가진 광석.
철을 끌어당기는 성질이 있는 물체.

자석으로 바닥에 떨어진 바늘을 찾았다.

167	자연	
自然	[자] 스스로 [연] 그러할	nature

인위적이거나 가공되지 않은 원래의 상태.

신선한 공기, 신비로운 숲, 아름다운 꽃들의 향기, 자연의 소리
와 조용한 호수 등 모든 것들이 자연의 일부입니다.

168	자외선		
紫外線	[자] 자주빛 [외] 밖 [선] 줄		ultraviolet rays

태양 스펙트럼에서 보랏빛의 바깥쪽에 나타나는 광선.
가시광선 보다 짧은 파장을 가지는 눈에 보이지 않는 복사선.

여름철에는 자외선이 강해지므로 피부 보호를 위해 자외선 차단제를 사용하는 것이 좋습니다.

169	자화		
磁化	[자] 자석 [화] 될		magnetization

물질이 자기적인 특성을 획득하거나 자기력을 갖게 되는 현상.

물체가 자화되면 자석처럼 N극과 S극이 생깁니다.

170	저항		
抵抗	[저] 맞설 [항] 막을		resistance

어떤 힘이나 영향에 대해 맞서거나 거부하는 것.

물체에 전류가 흐를 때 이 전류의 흐름을 방해하는 요소를 저항이라고 한다.

171	적외선		
赤外線	[적] 붉을 [외] 바깥 [선] 줄		Infrared radiation

붉은색의 빛 바깥쪽에 있는 빛.
가시광선보다 긴 파장을 가지는 전자기파.

적외선 카메라를 사용하여 열 영상을 촬영할 수 있습니다.

172	전동기		
電動機	[전] 전기 [동] 움직일 [기] 틀		electric motor

전기를 이용하여 동력을 발생시키는 기계.

전동기의 원리를 이해하기 위해서는 먼저 플레밍의 왼손 법칙에 대해서 알아야 한다.

173	전력		
電力	[전] 전기 [력] 힘		electric power

전류가 단위 시간에 하는 일.

우리 집은 안정적인 전력 공급을 받고 있습니다.

174	전송		
電送	[전] 전기 [송] 보낼		transmission

어떤 정보, 에너지, 물질 등을 한 곳에서 다른 곳으로 보냄.

전자우편으로 초대장을 전송했다.

175	전원		
電源	[전] 전기 [원] 근원		power supply

전류의 근원.
회로나 기기를 움직이기 위해 에너지를 공급하는 계통을 모두 가리키는 말.

컴퓨터가 전원에 연결되어야 작동할 수 있습니다.

176	전자석		
電磁石	[전] 전기 [자] 자석 [석] 돌		electromagnet

전류가 흐르면 자기화되고, 전류를 끊으면 자기화되지 않은 원래의 상태로 되돌아가는 자석.

폐차장에서 차를 옮길 때 전자석을 사용해 옮긴다. 들어 올릴 땐 전기를 내보내 자성을 띠게 만들어 차를 들어 올리고, 차를 내릴 땐 전기를 차단해서 자성을 없애는 방식이다.

177	전지		
電池	[전] 전기 [지] 못		battery

전기 에너지를 저장하고 공급하는 장치.

전지를 다 사용한 후 전지에서 흐르는 전류의 방향과 반대로 전지의 원래 전압보다 더 큰 외부 전압을 가해주면 전지를 재생시킬 수 있다. 이런 종류의 전지를 이차 전지라 한다.

178	전파		
電波	[전] 전기 [파] 물결		radio wave

도체 중의 전류가 진동함으로써 방사되는 전자기파.

안테나는 전파를 수신하기 위한 장치이다.

179	전화		
電話	[전] 전기 [화] 말할		telephone

전파나 전류를 이용하여 말을 주고받음.

전화를 이용하면 멀리 떨어진 사람과도 쉽게 연락할 수 있고, 대화를 나눌 수 있어요.

180	절연		
絕緣	[절] 끊을 [연] 인연		insulation

인연이나 관계를 완전히 끊음.

전기 또는 열을 통하지 않게 하는 것으로 이때 사용하는 부도체를 절연체 또는 절연물이라고 한다.

전기 절연이란 전기를 통하지 않게 하는 것이고, 전기적 절연체 또는 부도체를 유전체라고 부른다.

181	점화		
點火	[점] 켤 [화] 불		ignition

불 또는 불꽃을 일으키는 과정.

자동차 엔진에서는 연료와 공기를 혼합하여 점화시킴으로써 폭발을 일으킵니다.

182	중력		
重力	[중] 무거울 [력] 힘		gravity

지구가 물체를 잡아당기는 힘.

만약 중력이 없다면 우주선 안의 우주비행사처럼 공중에 떠다니며 생활하고, 바닥의 마찰력을 이용할 수 없어서 항상 무언가를 붙잡고 이동해야 할 것이다.

183	중화		
中和	[중] 가운데 [화] 어울릴		neutralization

서로 상반되는 성질이나 특성을 가진 물질들이 상호 작용하여 중간 상태로 변하는 과정.

염기성 용액과 산성 용액이 혼합되면 중화반응이 일어납니다.

184	증기		
蒸氣	[증] 찔 [기] 기운		steam
액체나 고체가 증발 또는 승화하여 생긴 기체.			
물이 끓자 주전자에서 증기가 뿜어져 나온다.			

185	증발		
蒸發	[증] 찔 [발] 일어날		evaporation
액체가 기체 상태로 변하는 과정.			
바닥의 물은 햇빛에 금방 증발했다.			

186	천문		
天文	[천] 하늘 [문] 무늬		astronomy
우주와 천체의 온갖 현상과 그에 내재 된 법칙성.			
천문학은 우주 전체에 관한 연구 및 우주 안에 있는 여러 천체에 관한 온갖 현상을 연구하는 학문이다.			

187	충전		
充電	[충] 채울 [전] 전기		charging
전기를 재공급하여 배터리, 전지 등을 가득 채우는 과정.			
휴대전화의 배터리가 소진되었으므로 충전해야 합니다.			

188	측우기		
測雨器	[측] 잴 [우] 비 [기] 그릇		rain gauge
비의 양을 측정하는 기구.			
측우기는 홍수와 가뭄으로 인한 피해를 줄여주었다.			

189	침식		
浸食	[침] 스며들 [식] 좀먹을		erosion

비, 하천, 빙하, 바람 따위의 자연 현상이 지표를 깎는 일.

강의 물이 강력하게 흐르면서 주변 토양을 침식시키고 있습니다.

190	퇴적		
堆積	[퇴] 쌓일 [적] 쌓을		sedimentation

많이 덮쳐져 쌓임. 또는 많이 덮쳐 쌓음.

퇴적 물질 중에서 무거운 것은 먼저, 가벼운 것은 나중에 가라앉는다.

191	폐기		
廢棄	[폐] 그만둘 [기] 버릴		disuse

못 쓰게 된 것을 버림.

다양한 폐기물을 종류별로 분리하여 처리하고 재활용하는 것은 환경 보호와 자원 절약에 큰 기여를 합니다.

192	항문		
肛門	[항] 똥구멍 [문] 문		anus

포유동물의 직장 끝에 있는 배설용의 구멍.

항문은 창자와 외부를 이어주는 소화관의 마지막 부분으로 직장의 대변을 몸 밖으로 배출하는 역할을 수행합니다.

193	현미경		
顯微鏡	[현] 드러날 [미] 작을 [경] 거울		microscope

작고 미세한 물체를 확대하여 관찰하기 위해 사용되는 장비.

현미경은 과학 연구, 의학, 생물학 등 다양한 분야에서 널리 사용됩니다.

194	화석		
化石	[화] 될 [석] 돌		fossil

지질 시대에 생존한 생물의 뼈를 비롯한 신체 부위, 혹은 생물의 발자국과 같은 생활 흔적이 퇴적물 중에 매몰된 채로 또는 지상에 그대로 보존되어 돌이 되어 남은 것.

그는 별안간 눈앞이 아찔한 전율할 얘기를 듣게 되었다. 불시에 온몸이 화석으로 굳어 버리는 느낌이었다.

195	활엽		
闊葉	[활] 넓을 [엽] 잎		broad leaf

넓고 큰 잎사귀.

활엽수는 겨울철에 잎을 잃어버리지만, 봄이 오면 새로운 잎을 돋게 해서 숲을 새록새록하게 만듭니다.

196	회로		
回路	[회] 돌아올 [로] 길		circuit

돌아오는 길.
전기가 통하는 통로.

이 전자 제품의 회로는 복잡하게 설계되어 있습니다.

197	흡착		
吸着	[흡] 마실 [착] 붙을		adsorption
어떤 물질이 달라붙음.			
에어 필터는 여과지 면의 정전기를 이용해 미세 먼지를 흡착하는 방식으로 작동한다.			

198	희귀		
稀貴	[희] 드물 [귀] 귀할		rare
드물어서 매우 진귀함.			
희귀종은 생물 다양성 보전의 중요한 대상으로 여겨지며, 보호와 관리가 필요합니다.			

5. 사회 분야에서 중요한 한자

199	가격		
價格	[가] 값 [격] 이를		price

값이 얼마에 이름.
물건이 지니고 있는 가치를 돈으로 나타낸 것.

이번 달 석유 가격이 급등했다.

200	가능		
可能	[가] 가히 [능] 능할		possible

할 수 있거나 될 수 있음.

노력과 준비가 있다면 불가능한 것은 없고, 모든 것은 가능할
수 있습니다.

201	가로수		
街路樹	[가] 거리 [로] 길 [수] 나무		street tree

시가지의 도로를 따라서 줄지어 심어 놓은 나무.

가로수는 도로를 따라 나란히 자라나 아름다운 경관을 만들어
내며 시민들에게 휴식과 안락함을 제공합니다.

202	가축		
家畜	[가] 집 [축] 기를		livestock

집에서 기르는 짐승. 소, 말, 돼지, 닭, 개 따위를 통틀어 이름.

농촌 지역에서는 주로 소와 돼지를 가축으로 길러 소득을 올
린다.

203	**가치**	
價値	[가] 값 [치] 값	value
사물이 지니고 있는 쓸모.		
무언가의 가치는 그것이 얼마나 소중하거나 유용한지를 판단하는 기준이 됩니다.		

204	**간섭**	
干涉	[간] 막을 [섭] 관여할	interference
직접 관계가 없는 남의 일에 부당하게 참견함. 두 개 이상의 파가 한 점에서 만날 때 합쳐진 파의 진폭이 변하는 현상.		
남의 일에 지나친 간섭을 하지 마라.		

205	**간접**	
間接	[간] 사이 [접] 맞이할	indirect
중간에 매개가 되는 사람이나 사물 따위를 통하여 맺어지는 관계.		
그는 고향 친구를 통해 간접으로 모교 소식을 전해 들을 수 있었다.		

206	**간척**	
干拓	[간] 막을 [척] 넓힐	land reclamation
바다나 호수 주위에 둑을 쌓고 그 안의 물을 빼내어 육지나 경지로 만듦.		
이 해안지역은 몇십 년 전에 간척되어 육지로 변모했습니다.		

207	간행		
刊行	[간] 책 펴낼 [행] 행할		publish

책 따위를 인쇄하여 발행함.

그가 오랫동안 써 온 역사책이 간행을 눈앞에 두고 있다.

208	갈등		
葛藤	[갈] 칡 [등] 등나무		conflict

칡과 등나무가 서로 얽히는 것과 같이, 개인이나 집단 사이에 목표나 이해관계가 달라 서로 적대시하거나 충돌함.

회사의 리더십 부재로 인해 직원들 사이에 갈등이 발생했습니다.

209	감기		
感冒	[감] 느낄 [기] 기운		cold

주로 바이러스로 말미암아 걸리는 호흡 계통의 병.

요즘 날씨 변화가 심해서 많은 사람들이 감기에 걸렸습니다.

210	감독		
監督	[감] 볼 [독] 살필		director

일이나 사람 따위가 잘못되지 아니하도록 살피어 단속함.
영화나 연극, 운동 경기 따위에서 일의 전체를 지휘하며 실질적으로 책임을 맡은 사람.

감독과 인부들의 마찰 때문에 공사가 지연되고 있다.

211	강수량	
降水量	[강] 내릴 [수] 물 [량] 양	amount of precipitation

비, 눈, 우박, 안개 따위로 일정한 기간 일정한 곳에 내린 물의 총량.

이 지역은 강수량이 적어 식수가 부족하다.

212	강우량	
降雨量	[강] 내릴 [우] 비 [량] 양	amount of rainfall

일정한 기간 지상에 내린 빗물의 총량.

지난 주에 폭우로 인해 강우량이 크게 증가하여 도시 일부에서 침수 피해가 발생했습니다.

213	개량	
改良	[개] 고칠 [량] 좋을	improvement

나쁜 점을 보완하여 더 좋게 고침.

농업 기술의 개량이 시급합니다.

214	개사	
改詞	[개] 고칠 [사] 말	change of lyrics

노랫말을 고치거나 다시 지음.

유행가의 개사가 최근의 유행이다.

215	개인		
個人	[개] 낱 [인] 사람		individual

국가나 사회, 단체 등을 구성하는 낱낱의 사람.

선생님께서는 개인이 한 사람 한 사람이 잘해야 그 사회가 발전한다고 말씀하셨다.

216	개혁		
改革	[개] 고칠 [혁] 바꿀		reform

제도나 기구 따위를 새롭게 뜯어고침.

그 정부는 국민의 요구에 대응하여 선진적인 개혁 정책을 추진하고 있습니다.

217	거부		
拒否	[거] 막을 [부] 아닐		reject

다른 사람의 제안이나 요청을 받아들이지 않는 것.

상사와의 미팅에서 제안된 계획이 잘못된 것 같다고 생각하여 진지하게 거부하였습니다.

218	건국		
建國	[건] 세울 [국] 나라		founding a nation

나라를 세움.

대한민국은 1948년 8월 15일에 건국되었습니다.

219	**격투**		
格鬪	[격] 겨룰 [투] 싸울		fighting
서로 맞붙어 치고받으며 싸움.			
경찰이 격투 끝에 도망가던 도둑을 잡았다.			

220	**견제**		
牽制	[견] 끌 [제] 누를		keep in check
일정한 작용을 가함으로써 상대편이 지나치게 세력을 펴거나 자유롭게 행동하지 못하게 억누름.			
그는 상대 선수의 집중적인 견제에도 불구하고 역전 골을 넣었다.			

221	**경도**		
硬度	[경] 단단할 [도] 정도		hardness
물질이 얼마나 단단하고 강한지를 나타내는 특성.			
이 물질의 경도가 매우 높아서 외부 충격에 잘 견디며 변형되지 않습니다.			

222	**경제**		
經濟	[경] 다스릴 [제] 건질		economy
인간의 생활에 필요한 재화나 용역을 생산·분배·소비하는 모든 활동. 세상을 다스리고 백성을 구제함.			
국가 경영에서 가장 중요한 일은 경제를 일으키는 것이다.			

223	계승	
繼承	[계] 이을 [승] 받들	inheritance

조상의 전통이나 문화유산, 업적 따위를 물려받아 이어 나감.

우리 조직은 과거 선배들의 노력과 업적을 계승하고 있다.

224	고귀	
高貴	[고] 높을 [귀] 귀할	noble

인품이나 지위가 높고 귀함.

그의 고귀한 성품은 많은 사람들에게 존경의 대상이 된다.

225	고랭지	
高冷地	[고] 높을 [랭] 찰 [지] 땅	highland

표고 600m 이상으로 높고 한랭한 지역.

요즘 강원도 고랭지에는 감자꽃이 한창이다.

226	고분	
古墳	[고] 옛 [분] 무덤	old tomb

옛 무덤.

고구려의 대표적인 고분 양식으로는 석총과 토총이 있다.

227	고용	
雇用	[고] 품팔 [용] 쓸	employment

보수를 주고 사람을 부림.

현재 경제 상황에서는 고용 문제가 큰 관심사입니다.

228	공동		
共同	[공] 함께 [동] 같을		Joint
둘 이상의 사람이나 단체가 함께 일을 하거나, 같은 자격으로 관계를 가짐.			
우리는 공동의 목표를 위해 함께 노력해야 합니다.			

229	공무원		
公務員	[공] 관공서 [무] 일 [원] 사람		civil servant
국가 또는 지방 공공 단체의 사무를 맡아보는 사람.			
공무원은 직무수행에 있어서 정직하고 책임감 있게 일하고, 시민들의 권익을 보호하며 공익을 추구해야 합니다.			

230	공산주의		
共産主義	[공] 함께 [산] 낳을 [주] 주될 [의] 뜻		communism
모든 재산과 생산 수단을 사회가 공동으로 소유하여 계급의 차이를 없애는 것을 내세우는 사상.			
사실 공산주의의 반대는 자본주의이다. 자본주의는 자신의 능력에 따라 재산을 모으고 쓸 수 있는 자유를 중요하게 생각한다.			

231	공유		
共有	[공] 함께 [유] 있을		sharing
두 사람 이상이 한 물건을 공동으로 소유함.			
인터넷과 소셜 미디어의 발전으로 인해 정보와 자료의 공유가 쉬워졌습니다.			

232	관문		
關門	[관] 빗장, 관계할 [문] 대문		gate

국경이나 요새의 성문.
국경이나 주요 지점의 통로에서 지나가는 사람과 물품을 조사하는 관의 문.

그는 수백 대 일의 관문을 뚫고 연기자가 되었다.

233	관아		
官衙	[관] 벼슬 [아] 관청		government office

예전에, 벼슬아치들이 모여 나랏일을 처리하던 곳.

조선시대의 지방 관아에서도 궁중 의식을 모방한 산대놀이나 나례 등을 행하였다.

234	관청		
官廳	[관] 벼슬 [청] 관청		government office

국가의 사무를 집행하는 국가 기관. 또는 그런 곳.

나는 직장에서 주로 관청의 허가를 받는 일을 한다.

235	교류		
交流	[교] 교환할 [류] 흐를		interchange

근원이 다른 물줄기가 서로 섞이어 흐름.
문화나 사상 따위가 서로 통함.

남북한 교류가 확대되고 있다.

236	교역		
交易	[교] 서로 [역] 바꿀		trade
주로 나라와 나라 사이에서 물건을 사고팔고 하여 서로 바꿈.			
교역은 경제 발전과 지역의 번영을 이끌어 내는 역할을 합니다.			

237	교환		
交換	[교] 서로 [환] 바꿀		exchange
물건 따위를 서로 주고받아 바꿈.			
살 때부터 흠이 있는 물건은 새 물건으로 바로 교환할 수 있습니다.			

238	구제		
救濟	[구] 건질 [제] 건질		help
자연적인 재해나 사회적인 피해를 당하여 어려운 처지에 있는 사람을 도와줌.			
정부는 어려운 처지에 있는 사람들을 구제하기 위해 다양한 정책을 시행하고 있습니다.			

239	굴복		
屈服	[굴] 굽힐 [복] 따를		submission
힘이 모자라서 복종함.			
적군은 정부군의 강력한 공격에 굴복하여 항복했습니다.			

240	귀농	
歸農	[귀] 돌아갈 [농] 농사	return to farming

농사를 지으려고 농촌으로 돌아가는 현상.

김씨는 귀농을 통해 여유로운 삶을 살고 있으며, 자연 속에서 행복한 삶을 누리고 있습니다.

241	극세사	
極細絲	[극] 극진할 [세] 가늘 [사] 실	ultrafine fiber

올이 매우 가느다란 실.

극세사는 실과 실 사이의 공극이 미세해 집먼지진드기의 이동과 서식을 막아 알레르기 유발을 방지한다.

242	극야	
極夜	[극] 극진할 [야] 밤	polar night

겨울철 고위도 지방이나 극점 지방에서 추분부터 춘분 사이에 오랫동안 해가 뜨지 않고 밤만 계속되는 상태.

흑야라고 하지 않고 극야라고 하는 이유는 극지방에서 발생하기 때문에 이 단어가 붙여진 것이다.

243	금리	
金利	[금] 황금 [이] 이로울	interest rate

빌려준 돈이나 예금 따위에 붙는 이자.

'금리 부담이 크다'는 말에서 금리는 이자와 같은 의미로 사용되고 있고, '금리가 높다'고 말할 때는 금리가 이자율과 같은 의미로 사용된다.

244	**난폭**		
亂暴	[난] 어지러울 [폭] 사나울		violent

행동이 몹시 거칠고 사나움.

난폭한 행동은 다른 사람에게 손상을 줄 뿐만 아니라 자신에게도 해를 끼칠 수 있는 적절한 대처와 조절이 필요합니다.

245	**납세**		
納稅	[납] 바칠 [세] 세금		payment of taxes

세금을 냄.

국민은 국가에 납세의무를 가지고 있습니다.

246	**냉장고**		
冷藏庫	[냉] 찰 [장] 감출 [고] 곳집		refrigerator

음식을 차갑게 보관하는 장치.

냉장고에 음식을 넣어두면 오래도록 신선하게 보관할 수 있다.

247	**누명**		
陋名	[누] 추할 [명] 이름		false accusation

사실이 아닌 일로 이름을 더럽히는 억울한 평판.

그 남자는 억울한 누명을 쓰고 일 년간 옥살이를 하였다.

248	**대기**		
待機	[대] 기다릴 [기] 때		stand by

때나 기회를 기다림.

기차를 타기 위해 대기하고 있습니다.

249	대첩	
大捷	[대] 큰 [첩] 이길	great victory
싸워서 크게 이김.		
우리 군대는 적군을 대파하고 대첩을 거두었습니다.		

250	도서	
島嶼	[도] 섬 [서] 섬	islands
크고 작은 온갖 섬.		
대한민국의 영토는 한반도와 그 부속 도서로 한다.		

251	도읍	
都邑	[도] 도읍 [읍] 고을	capital
나라의 수도.		
신라의 도읍은 경주였습니다.		

252	도자기	
陶瓷器	[도] 질그릇 [자] 사기그릇 [기] 그릇	ceramics
도기, 자기, 사기, 질그릇 따위를 통틀어 이르는 말.		
도자기에 여러 가지 문양을 새겨 넣었다.		

253	동검	
銅劍	[동] 구리 [검] 칼	bronze sword
구리로 만든 칼.		
동검은 청동기 시대의 대표적 유물로서 우리나라에서 출토되는 것은 비파형 동검과 세형 동검 두 가지로 구분된다.		

254	등고선		
等高線	[등] 같을 [고] 높을 [선] 줄		contour line

지도에서 해발 고도가 같은 지점을 연결한 곡선.

등고선을 이용하여 지형의 높낮이를 알 수 있습니다.

255	등재		
登載	[등] 오를 [재] 실을		register

일정한 사항을 장부나 대장에 올림.

세계 자연 유산으로 등재 신청을 했다.

256	명성		
名聲	[명] 이름 [성] 소리		fame

세상에 널리 떨친 이름이나 평판.

유학 시절에 최치원은 당나라에서 명성을 날리고 신라로 돌아왔다.

257	몰수		
沒收	[몰] 없어질 [수] 거둘		confiscation

남은 재산이 하나도 없도록 모두 거두어들임.
범죄 행위에 제공한 물건이나 범죄 행위의 결과로 얻은 물건 따위를 국가가 강제로 빼앗는 일.

담임 선생님은 학생들이 갖고 있는 유해 물건의 몰수를 위해 소지품 검사를 하셨다.

258	무궁화		
無窮花	[무] 없을 [궁] 다할 [화] 꽃		hibiscus

영원히 피는 꽃.
여름부터 가을가지 붉거나 흰 종 모양의 꽃이 피는 관목.

무궁화는 대한민국의 국화입니다.

259	무신		
武臣	[무] 굳셀 [신] 신하		military officer

무과 출신의 신하.

문신들의 횡포에 맞서 무신들은 자신의 군사력으로 권세를 얻으려 했다.

260	문과		
文科	[문] 글월 [과] 과목		the literature department

사상, 심리, 역사 등 인간과 사회에 관하여 연구하는 학문.

이과 학생들과 문과 학생들은 성향이 다르다.

261	민주주의		
民主主義	[민] 백성 [주] 주인 [주] 주될 [의] 뜻		democracy

국민이 권력을 가지고 그 권력을 스스로 행사하는 제도. 또는 그런 정치를 지향하는 사상.

민주주의는 국민들의 집약된 의견으로 국정을 운영하는 것이기 때문에 여론이 정치에 미치는 영향이 크다.

262	밀림		
密林	[밀] 빽빽할 [림] 수풀		forest

큰 나무들이 빽빽하게 들어선 깊은 숲.

이 지역은 높은 기온과 많은 강수량으로 식물의 성장이 왕성하여 열대 밀림이 무성하다.

263	방파제		
防波堤	[방] 막을 [파] 물결 [제] 방죽		breakwater

파도와 조류로부터 해안을 보호하기 위해 해안에 쌓는 둑.

방파제는 해안가의 토지 침식과 해일 피해를 막는 데 중요한 역할을 합니다.

264	배차		
配車	[배] 나눌 [차] 수레		allocation of cars

일정한 노선이나 구간에 차를 알맞게 나눔.

그 버스는 배차 간격이 짧다.
10분 간격으로 버스를 배차하다.

265	배타		
排他	[배] 밀칠 [타] 다를		exclusive

다른 사람을 배척하거나 거부함.

집권 세력이 화합이 아닌 배타의 자세로 나온다면 정치는 계속 불안할 것이다.

266	백야		
白夜	[백] 흰 [야] 밤		white night

해가 지지 않아 밤에 어두워지지 않는 현상.

그는 자작나무와 백야의 나라 핀란드로 여행을 떠날 계획이다.

267	백정		
白丁	[백] 흰 [정] 사나이		butcher

소나 개, 돼지 따위를 잡는 일을 직업으로 하는 사람.

과거에는 백정을 천한 신분이라고 여겨 차별하였다.

268	백혈병		
白血病	[백] 흰 [혈] 피 [병] 병		leukemia

핏속에서 백혈구의 성숙이 저해되고 약한 백혈구가 정상보다 많아져 생기는 종양성 질환.

백혈병 환자들은 치료비가 많이 들어서 정부의 지원이 필요합니다.

269	백화점		
百貨店	[백] 여러 [화] 재물 [점] 가게		department store

다양한 상품을 한 장소에 모아놓고 판매하는 가게.

백화점은 편리한 쇼핑 환경과 다양한 상품을 제공하여 많은 사람들이 찾는 장소입니다.

270	범인		
犯人	[범] 죄를 지을 [인] 사람		criminal

범죄를 저지른 사람.

경찰은 범인을 잡기 위해 수사를 하고 있습니다.

271	변호인		
辯護人	[변] 말 잘할 [호] 돌볼 [인] 사람		defense lawyer

형사 소송에서, 피의자나 피고인의 이익을 보호하는 보조자로서 변호를 담당하는 사람.

변호인은 피고가 자신의 죄를 뉘우치고 있다며 선처를 요구했다.

272	본질		
本質	[본] 뿌리 [질] 바탕		essence

가장 근본적인 성질.
사물이나 현상을 성립시키는 근본적인 성질.

인문 과학의 궁극적 목표는 인간의 본질에 대한 답을 구하는 것이다.

273	봉기		
蜂起	[봉] 벌 [기] 일어날		rise against

벌 떼처럼 떼 지어 세차게 일어남.

일제의 식민지 지배에 반대하는 의병들의 봉기가 일어났다.

274	봉수대		
烽燧臺	[봉] 봉화 [수] 횃불 [대] 망루		beacon tower

봉화를 피워 올리던 높은 곳

조선시대에는 봉수대를 사용하여 적의 침입을 알렸습니다.

275	봉양		
奉養	[봉] 받들 [양] 기를		supporting (one's parents)

부모나 조부모와 같은 웃어른을 받들어 모심.

병든 노모는 딸과 사위의 극진한 봉양을 받으면서 병세가 호전되었다.

276	부록		
附錄	[부] 붙을 [록] 기록할		appendix

본문 끝에 덧붙이는 기록.
신문, 잡지 따위의 본지에 덧붙인 지면이나 따로 내는 책자.

이 책의 부록에는 책의 내용에 대한 설명과 추가 정보가 실려 있습니다.

277	부흥		
復興	[부] 다시 [흥] 일어날		revival

쇠퇴하였던 것이 다시 일어남.

정부는 경제 부흥을 위해 다양한 정책을 시행하고 있습니다.

278	**분단**	
分斷	[분] 나눌 [단] 끊을	division
동강이 나게 끊어 가름.		
한반도는 1950년 한국전쟁 이후 남과 북으로 분단되어 있다.		

279	**분쟁**	
紛爭	[분] 어지러울 [쟁] 다툴	dispute
말썽을 일으키어 시끄럽고 복잡하게 다툼.		
두 회사는 특허권을 둘러싸고 치열한 분쟁 중에 있다.		

280	**분포**	
分布	[분] 어지러울 [포] 흩뿌리다	distribution
어떤 대상이 일정한 범위에 흩어져 있는 상태.		
인구 분포는 지역마다 다릅니다.		

281	**분화**	
分化	[분] 나눌 [화] 될	differentiation
단순하거나 등질인 것에서 복잡하거나 이질인 것으로 변함.		
산업이 전문화되면서 직업의 분화가 자연스럽게 이루어졌다.		

282	**불교**	
佛敎	[불] 부처 [교] 종교	buddhism
부처를 믿는 종교.		
불교는 고통에서 벗어나 열반에 이르도록 가르치는 종교이다.		

283	비옥	
肥沃	[비] 기름질 [옥] 기름진	fertile
땅이 걸고 기름짐.		
비옥한 토양은 농작물의 생산량을 높일 수 있습니다.		

284	사대	
事大	[사] 섬길 [대] 큰	worship of the powerful
약자가 강자를 섬김.		
조공이란 사대 관계를 맺고 있는 나라가 종주국에 물건을 바치는 것을 말한다.		

285	사방	
四方	[사] 넷 [방] 방위	four directions
사방은 네 방위를 말합니다.		
소문이 사방으로 퍼졌다.		

286	산보	
散步	[산] 한가로울 [보] 걸음	walk
휴식을 취하거나 건강을 위해서 천천히 걷는 일.		
산보로 건강을 유지하고 스트레스를 풀 수 있습니다.		

287	상례	
喪禮	[상] 죽을 [례] 예절	funeral
상중에 행하는 모든 예절.		
요새는 상례도 많이 간소화되었다.		

288	상여		
喪輿	[상] 죽을 [여] 수레		bier

사람의 시체를 실어서 묘지까지 나르는 도구.

상복을 입은 상주들이 곡을 하며 상여의 뒤를 따랐다.

289	선진국		
先進國	[선] 앞선 [진] 나아갈 [국] 나라		developed country

선진국은 경제, 사회, 정치, 문화 등 모든 분야에서 발전한 나라를 말합니다.

선진국은 일반적으로 높은 1인당 GDP, 높은 교육 수준, 높은 삶의 질을 가지고 있습니다.

290	성묘		
省墓	[성] 살필 [묘] 무덤		visit a family member's grave

조상의 산소를 찾아가서 돌봄.

추석이 되자 우리 가족은 성묘를 하러 조상님의 산소를 찾았다.

291	성숙		
成熟	[성] 이룰 [숙] 익을		maturity

생물의 발육이 완전히 이루어짐.
몸과 마음이 자라서 어른스럽게 됨.

그 아이는 이제 성숙하여 어른이 되었습니다.

292	성탄절		
聖誕節	[성] 거룩할 [탄] 태어날 [절] 철		christmas

성스러운 예수의 탄생을 기념하는 날.

성탄절 예배를 드리러 교회당에 갔다.

293	세족		
洗足	[세] 씻을 [족] 발		foot washing

발을 씻음.

예수는 세족식을 통해 섬김의 정신을 보여주었습니다.

294	소외		
疏外	[소] 멀어진 [외] 밖		isolation

어떤 무리에서 기피하여 따돌리거나 멀리함.

다른 학생들에게 소외를 당하다.

295	소요		
所要	[소] 것 [요] 구할		cost

필요로 하거나 요구되는 바.

이 프로젝트를 완수하기 위해서는 많은 인력과 자원이 소요됩니다.

296	소탕		
掃蕩	[소] 쓸 [탕] 씻어버릴		sweep

휩쓸어 죄다 없애 버림.

김 반장은 오늘도 범죄 소탕을 위해 땀 흘리고 있다.

297	쇠퇴		
衰退	[쇠] 쇠할 [퇴] 물러날		decline
힘이나 세력 따위가 약해져 전보다 못한 상태로 됨.			
나이가 들면 기억력의 쇠퇴가 오기 마련이다.			

298	수상		
受賞	[수] 받을 [상] 상줄		award
상을 받음.			
그는 노벨상 수상으로 세계적인 유명 인사가 되었다.			

299	순방		
巡訪	[순] 돌 [방] 찾을		visit
나라나 도시 따위를 차례로 돌아가며 방문함.			
다음 주는 대통령이 외국 순방하는 주이다.			

300	승병		
僧兵	[승] 스님 [병] 군사		monk soldier
승려들로 조직된 군대.			
승병은 나라를 지키기 위해 군대에서 싸웠습니다.			

301	승진		
昇進	[승] 오를 [진] 나아갈		promotion
직위의 등급이나 계급이 오름.			
그는 승진하여 더 큰 책임을 맡게 되었습니다.			

302	식구	
食口	[식] 먹을 [구] 입	family member
한집에서 함께 살면서 끼니를 같이하는 사람.		
그들은 식구처럼 지냈습니다.		

303	신사	
紳士	[신] 큰 띠 [사] 선비	gentleman
사람됨이나 몸가짐이 점잖고 교양이 있으며 예의 바른 남자.		
그는 신사답게 그녀에게 다가갔습니다.		

304	신앙	
信仰	[신] 믿을 [앙] 우러를	faith
믿고 받드는 일.		
그는 신앙심이 깊은 사람입니다.		

305	실학	
實學	[실] 실제 [학] 배울	practical learning
실제로 소용되는 학문.		
조선 후기에 유행한 실학은 실용적인 학문을 강조했다.		

306	연적	
硯滴	[연] 벼루 [적] 물방울	inkstone droplet
벼루에 먹을 갈 때 쓰는, 물을 담아 두는 그릇.		
연적은 벼루에 물을 떨어뜨려 붓에 묻혀 글씨를 쓰는 데 사용됩니다.		

307	열녀		
烈女	[렬] 굳셀 [녀] 여자		chaste woman
절개가 굳은 여자.			
그녀는 남편이 죽은 후에도 정절을 지켜 열녀로 추앙받았다.			

308	염전		
鹽田	[염] 소금 [전] 밭		salt field
소금을 만들기 위하여 바닷물을 끌어들여 논처럼 만든 곳.			
염전은 태양을 이용하여 바닷물을 증발시켜 소금을 생산한다.			

309	영공		
領空	[영] 거느릴, [공] 빌		airspace
영토와 영해 위의 하늘로서, 그 나라의 주권이 미치는 범위.			
우리의 영공을 침범하는 어떤 행위도 용납하지 않을 것입니다.			

310	영수증		
領收證	[령] 받을 [수] 거둘 [증] 증거		receipt
돈이나 물품 따위를 받은 사실을 표시하는 증서.			
가게에서 물건을 구입하면 영수증을 받습니다.			

311	영해		
領海	[영] 거느릴 [해] 바다		territorial waters
영토에 인접한 해역으로서, 그 나라의 통치권이 미치는 범위.			
우리 정부는 해적들의 영해 침범에 촉각을 곤두세우고 있다.			

312	예산		
豫算	[예] 미리 [산] 셀		budget
필요한 비용을 미리 헤아려 계산함.			
지출을 할 때는 예산에 잘 맞추어야 적자가 나지 않는다.			

313	예우		
禮遇	[예] 예절 [우] 만날		respectful treatment
예의를 지키어 정중하게 대우함.			
예우를 갖추어 손님을 맞다.			

314	왜구		
倭寇	[왜] 일본 [구] 도둑		Japanese pirates
13세기부터 16세기까지 한반도와 중국을 침략한 일본의 해적 집단.			
왜구는 한국과 중국의 해안지역을 공격하여 주민들을 약탈하고 노예로 삼았습니다.			

315	우체국		
郵遞局	[우] 우송할 [체] 전할 [국] 관청		post office
과학 기술 정보 통신부에 딸려 우편, 우편환, 우편 대체, 체신 예금, 체신 보험, 전신 전화 수탁 업무 따위를 맡아보는 기관.			
외출 길에 우체국을 들러 소포를 부쳤다.			

316	위도	
緯度	[위] 씨실 [도] 정도	latitude

씨실 같이 지구 위의 위치를 나타내는 좌표축 중에서 가로로 된 것.

위도는 지구의 가로선으로, 적도를 기준으로 북위와 남위로 나누어집니다.

317	유목	
遊牧	[유] 떠돌 [목] 기를	nomadize

일정한 거처를 정하지 아니하고 물과 풀밭을 찾아 옮겨 다니면서 목축하여 삶.

그 민족은 예로부터 초원을 찾아다니며 유목하였다.

318	유사	
類似	[유] 비슷할 [사] 닮을	similarity

서로 비슷하거나 닮음.

부동산 매매를 고려하시는 분은 위와 같은 유사 수법에 주의하셔서 사기를 피하시기 바랍니다.

319	유적	
遺跡	[유] 남길 [적] 발자취	remains, ruins

과거에 존재했던 것의 발자취.

유적은 과거의 삶과 문화를 이해하는 데 도움이 된다.

320	**이정표**		
里程標	[이] 거리 [정] 거리 [표] 나타낼		milestone

주로 도로상에서 어느 곳까지의 거리 및 방향을 알려주는 표지.

이정표는 목적지까지의 거리를 알려주기 때문에 길을 찾는 데 도움이 된다.

321	**이질**		
異質	[이] 다를 [질] 바탕		heterogeneity

성질이 다름.

이질적인 문화를 융합하여 새로운 문화를 만들어야 한다.

322	**임업**		
林業	[임] 수풀 [업] 일		forestry

각종 임산물에서 얻는 경제적 이윤을 위하여 삼림을 경영하는 사업.

근 숲의 중요성에 대한 인식이 커짐에 따라 임업에 대한 투자도 활발해지는 경향이 있다.

323	**입양**		
入養	[입] 들 [양] 기를		adopt

양자로 들어감. 또는 양자를 들임.

아이를 좋아한다는 그 배우는 벌써 네 번째 입양을 결정했다고 한다.

324	장화		
長靴	[장] 길 [화] 구두		boots

목이 길게 올라오는 신.

비가 와서 장화를 신고 나갔다.

325	적도		
赤道	[적] 빨간 [도] 길		equator

위도의 기준이 되는 선.
지도에 붉은색으로 표시된 길.

적도란 남극과 북극에서 같은 거리에 있으며 지구를 북반구와
남반구로 나누는 가상의 선이다.

326	적자		
赤子	[적] 붉을 [자] 글자		deficit

붉은 글자로 장부에 모자라는 금액을 나타내는 글자를 붉은
글씨로 기록할 때 써서 손해, 부족 등을 일컬음.

지난달의 적자를 메우려면 이번 달은 긴축해야 한다.

327	점자		
點字	[점] 점 [자] 글자		braille

손가락으로 더듬어 읽도록 만든 시각 장애인용 문자. 두꺼운
종이 위에 도드라진 점들을 일정한 방식으로 짜 모아 만듦.

시각장애인들은 점자를 익힘으로써 독서와 의사소통을 가능하
게 합니다.

328	정당		
政黨	[정] 정치 [당] 무리		(political) party

정치적인 주의나 주장이 같은 사람들이 정권을 잡고 정치적 이상을 실현하기 위하여 조직한 단체.

대통령 선거가 다가오자 각 정당에서는 후보를 선정하기 위해 경선을 벌였다.

329	조공		
朝貢	[조] 조정 [공] 바칠		tribute

종속국이 종주국에 때를 맞추어 예물을 바치던 일. 또는 그 예물.

조선은 중국에 조공을 바쳤습니다.

330	조력		
助力	[조] 도울 [력] 힘		assistance

힘을 써서 도와줌.

친구가 어려움에 처했을 때 조력을 아끼지 말아야 합니다.

331	조선		
朝鮮	[조] 아침 [선] 고울		

1392년 이성계가 고려를 무너뜨리고 세운 나라.

그는 이 작품을 통해서 1920년대 초기의 식민지 조선이 처한 암울한 상황을 그렸다.

332	조총		
鳥銃	[조] 새 [총] 총		matchlock

조선시대의 휴대용 소화기. 후에 화승식(火繩式) 점화법을 이용하게 되면서 화승총이라고 하였다.

임진왜란 초기 큰 피해를 준 조총은 조선 후기 조선군의 주력 무기로 거듭나게 된다.

333	졸업		
卒業	[졸] 마칠 [업] 일		graduation

학생이 규정에 따라 소정의 교과 과정을 마침.

그는 대학을 졸업하고 석사 과정에 진학하였다.

334	주도		
主導	[주] 주인 [도] 이끌		lead

주동적인 처지가 되어 이끎.

한국의 경제가 해결해야 할 문제 중 하나는 재벌 주도 체제에서 벗어나야 한다는 것이다.

335	주막		
酒幕	[주] 술 [막] 장막		inn

시골 길가에서 밥과 술을 팔고, 돈을 받고 나그네를 묵게 하는 집.

그는 날이 어둑어둑해지자 주막을 찾아 마을로 내려갔다.

336	주민	
住民	[주] 살 [민] 백성	resident
일정한 지역에 살고 있는 사람.		
주민들은 도로 개선을 요구하였다.		

337	주범	
主犯	[주] 주될 [범] 범할	principal offender
형법에서, 자기의 의사에 따라 범죄를 실제로 저지른 사람.		
경찰은 주범을 체포하고 공모한 공범들을 추적하고 있다.		

338	철기	
鐵器	[철] 쇠 [기] 그릇	ironware
쇠로 만든 그릇이나 기구.		
고대의 철기는 주로 농사나 전쟁에 사용되었다.		

339	표절	
剽竊	[표] 도둑질할 [절] 훔칠	plagiarism
시, 글, 노래 등을 지을 때 남의 작품의 일부를 몰래 따다 씀.		
그는 표절로 인해 학위를 박탈당했다.		

340	함락	
陷落	[함] 빠질 [락] 떨어질	surrender
땅이 무너져 내려앉음.		
적의 성, 요새, 진지 따위를 공격하여 무너뜨림.		
왕은 진주성 함락 소식을 듣고 깊은 시름에 잠겼다.		

341	해리		
海里	[해] 바다 [리] 거리		sea mile

해상의 거리 단위를 나타내는 말.

독도는 울릉도 남동쪽으로 50해리 떨어진 작은 섬이다.

342	해발		
海拔	[해] 바다 [발] 뽑을		altitude

해수면으로부터 계산하여 잰 육지나 산의 높이.

그 등산대는 해발 2천 미터 지점을 통과했다고 소식을 전해 왔습니다.

343	혁명		
革命	[혁] 바꿀 [명] 운명		revolution

헌법의 범위를 벗어나 국가 기초, 사회 제도, 경제 제도, 조직 따위를 근본적으로 고치는 일.

비닐을 써서 농작물에 알맞은 재배 환경을 인공으로 만들게 된 것은 이 땅의 농업에 혁명을 가져왔다.

344	현충일		
顯忠日	[현] 드러낼 [충] 바칠 [일] 날		Memorial Day

나라를 위하여 싸우다 숨진 장병과 순국선열들의 충성을 기리기 위하여 정한 날.

현충일에는 한국전쟁에서 목숨을 잃은 사람들을 추념하는 행사가 열린다.

345	홍익	
弘益	[홍] 클 [익] 더할	public benefit

크게 이롭게 함.

단군 신화의 홍익 이념의 의미는 개인과 공인의 이익을 모두
포함한다.

346	화문석	
花紋席	[화] 꽃 [문] 무늬 [석] 자리	figured mat

꽃의 모양을 놓아 짠 돗자리.

화문석은 여름철에 마루에 깔고 그 위에 눕거나 앉으면 더위
를 덜 수 있어서 널리 애용되었으며 무늬 또한 아름다워 집
치장에도 한몫을 담당하였다.

347	화장실	
化粧室	[화] 될 [장] 단장할 [실] 방	restroom

화장하는 데 필요한 설비를 갖추어 놓은 방.

나는 배탈이 나서 하루 종일 화장실을 들락거렸다.

348	환전	
換錢	[환] 바꿀 [전] 돈	exchange

종류가 다른 화폐를 서로 바꿈.

그는 외국 관광객을 상대로 외화를 원화로 바꿔 주는 환전 업
무를 담당하고 있다.

6. 국어 분야에서 중요한 한자

349	가입		
加入	[가] 더할 [입] 들	join

조직이나 단체 따위에 들어가거나, 서비스를 제공하는 상품 따위를 신청함.

그 동아리는 가입 절차가 매우 까다로웠다.

350	가정		
假定	[가] 임시 [정] 정할	suppose

임시로 정함.
사실이 아니거나, 또는 사실인지 아닌지 분명하지 않은 것을 임시로 인정함.

역사에는 가정이 있을 수 없다.

351	각하		
閣下	[각] 층집, 대궐 [하] 아래	Your excellency

존귀한 사람에 대한 존칭.
대궐 아래라는 뜻으로 높은 사람의 이름을 부르지 않고 높은 신분이 대궐 아래 계신다는 뜻의 호칭.

대통령 각하 / 의장 각하
어제 미국에서 의장 각하를 초대하였습니다.

352	간식		
間食	[간] 사이 [식] 먹을	snack

끼니와 끼니 사이에 음식을 먹음. 또는 그 음식.

저녁에 너무 많은 간식을 먹으면 건강에 좋지 않습니다.

353	간절		
懇切	[간] 정성 [절] 절실할		earnest
마음이나 뜻이 더없이 정성스럽고 지극함.			
그는 자신의 꿈을 이루기 위해 간절하게 노력했다.			

354	간호사		
看護師	[간] 볼 [호] 돌볼 [사] 스승 사		nurse
의사의 진료를 돕고 환자를 돌보는 사람.			
그녀는 간호사로서 열심히 일했다.			

355	간혹		
間或	[간] 사이 [혹] 혹시		occasionally
어쩌다가 한 번씩.			
나는 간혹 걸어서 회사에 가곤 한다.			

356	감명		
感銘	[감] 느낄 [명] 새길		impression
감격하여 마음에 깊이 새김.			
그의 연설은 청중들에게 깊은 감명을 주었다.			

357	감복		
感服	[감] 느낄 [복] 옷		admiration
감동하여 충심으로 탄복함.			
일에 대한 그녀의 열정엔 감복을 하지 않을 수 없다.			

358	감상	
感想	[감] 느낄 [상] 생각	thoughts

마음속에서 일어나는 느낌이나 생각.

나는 영화를 보고 느낀 감상을 글로 적었다.

359	감성	
感性	[감] 느낄 [성] 성질	sensitivity

자극이나 자극의 변화를 느끼는 성질.

그 시인은 풍부한 감성의 소유자이다.

360	강목	
綱目	[강] 벼리(그물코를 꿴 굵은 줄, 일이나 글의 뼈대가 되는 줄거리) [목] 눈	outline and details

사물의 대략적인 줄거리와 자세한 조목.

그 책은 기구의 사용법을 다섯 가지 강목으로 나눠 설명하고 있다.

361	강제	
強制	[강] 강할 [제] 절제할	compulsion

권력이나 위력으로 남의 자유의사를 억눌러 원하지 않는 일을 억지로 시킴.

그는 강제로 군대에 징집되었다.

362	**개념**		
概念	[개] 대강 [념] 생각		concept
어떤 사물이나 현상에 대한 일반적인 지식.			
그는 자유주의라는 개념을 이해하고 있다.			

363	**개요**		
概要	[개] 대강 [요] 요할		outline
간결하게 추려낸 주요 내용.			
팀장은 사장에게 이번 사업의 개요를 보고했다.			

364	**개척**		
開拓	[개] 열 [척] 넓힐		pioneer
거친 땅을 일구어 논이나 밭과 같이 쓸모 있는 땅으로 만듦.			
그들은 새로운 분야를 개척하기 위해 노력하고 있다.			

365	**건배**		
乾杯	[건] 마를 [배] 술잔		toast
술잔의 술을 다 마셔 술잔을 말림.			
김 과장님께서 대표로 건배 제의를 하시겠습니다.			

366	**견문**		
見聞	[견] 볼 [문] 들을		knowledge
보고 들음.			
그는 세계 각지를 여행하며 견문을 넓혔다.			

367	검역		
檢疫	[검] 검사할 [역] 돌림병		quarantine

전염병이나 해충 등이 외국으로부터 들어오는 것을 막기 위하여, 여객이나 화물 등을 검사 및 소독, 조사하는 일.

정부는 국외 감염병이 국내로 유입되는 것을 예방하기 위해 공항, 항구 등에서 검역을 실시하고 있습니다.

368	결론		
結論	[결] 맺을 [론] 말할		conclusion

말이나 글의 끝을 맺는 부분.
최종적으로 판단을 내림. 또는 그 판단.

그들은 회의를 통해 결론을 내렸다.

369	결선		
決選	[결] 결정할 [선] 가릴		runoff

일 등 또는 우승자를 가리기 위하여 행하는 마지막 겨룸.

이번 경기에서 저 팀을 이기면 우리 팀이 결선에 진출한다.

370	결함		
缺陷	[결] 모자랄 [함] 빠질		defect

부족하거나 완전하지 못하여 흠이 되는 부분.

기계적 결함으로 인해 오늘 하루 동안 엘리베이터가 작동되지 않았다.

371	경로		
經路	[경] 지날 [로] 길	course	
지나는 길.			
서울에서 속초까지 가는 최단 경로는 어느 길이니?			

372	경청		
傾聽	[경] 기울 [청] 들을	listen	
귀를 기울여 들음.			
그는 선생님의 말씀을 경청하였다.			

373	계란		
鷄卵	[계] 닭 [란] 알	egg	
닭이 낳은 알.			
그녀는 아침 식사로 계란 후라이를 먹었다.			

374	고갈		
枯渴	[고] 마를 [갈] 목마를	exhaustion	
물이 말라서 없어짐.			
식수 고갈로 어려움을 겪다.			

375	고령		
高齡	[고] 높을 [령] 나이	old age	
늙은이로서 썩 많은 나이.			
그녀는 고령이지만 아직도 건강하다.			

376	**고문**	
拷問	[고] 칠 [문] 물을	torture

숨기고 있는 사실을 강제로 알아내기 위하여 육체적·정신적 고통을 주며 신문함.

그는 혹독한 고문을 당했다.

377	**고수**	
鼓手	[고] 북 [수] 사람	drummer

북이나 장구 따위를 치는 사람.

판소리에서 고수의 역할은 아주 중요하다.

378	**고수**	
高手	[고] 높을 [수] 솜씨	master

바둑이나 장기 따위에서 수가 높음. 또는 그런 사람.

그는 소림사에서 무술을 익혀 무림계의 고수가 되었다.

379	**고유**	
固有	[고] 굳을 [유] 있을	inherent

본래부터 가지고 있는 특유한 것.

국 대표들은 민족 고유 의상을 입고 대회에 출전했다.

380	**고학생**	
苦學生	[고] 괴로울 [학] 배울 [생] 사람	working student

학비를 스스로 벌어서 고생하며 공부하는 학생.

아직도 신문을 배달하며 학비를 대는 고학생이 적지 않다.

381	곡절	
曲折	[곡] 굽을 [절] 꺾을	turns and twists

순조롭지 아니하게 얽힌 이런저런 복잡한 사정이나 까닭.

하루 종일 언니가 말하지 않는 걸 보니 무슨 곡절이라도 있는 게 분명하다.

382	공감	
共感	[공] 함께 [감] 느낄	sympathy

남의 감정, 의견, 주장 따위에 대하여 자기도 그렇다고 느낌.

정부는 대다수 국민의 공감을 얻을 수 있는 정책을 제시해야 한다.

383	공출	
供出	[공] 이바지할 [출] 날	offer

국민이 국가의 수요에 따라 농업 생산물이나 기물 따위를 의무적으로 정부에 내어놓음.

식구들의 1년 양식을 공출로 거저 빼앗길 수는 없었다.

384	공헌	
貢獻	[공] 바칠 [헌] 바칠	contribution

힘을 써 이바지함.

오늘의 성과 뒤에는 이름 없는 시민들의 공헌이 있었다.

385	과속		
過速	[과] 지나칠 [속] 빠를		speeding
자동차 따위의 주행 속도를 너무 빠르게 함. 또는 그 속도.			
그는 과속으로 운전하여 벌금을 물었다.			

386	광복		
光復	[광] 빛 [복] 돌아올		independence
빼앗긴 주권을 도로 찾음.			
많은 사람이 조국의 광복을 위해 몸을 바쳤다.			

387	광활		
廣闊	[광] 넓을 [활] 트일		spacious
막힌 데가 없이 트이고 넓음.			
그 과학자는 광활한 우주의 신비를 캐내고 있다.			

388	교감		
校監	[교] 학교 [감] 볼		vice principal
학교장을 도와서 학교의 일을 관리하거나 수행하는 직책. 또는 그런 사람.			
교감 선생님이 학교 운영에 대한 회의를 주재하였다.			

389	구박		
驅迫	[구] 쫓을 [박] 몰아내다		persecution
구박은 못 견디게 괴롭히는 것을 의미합니다.			
그는 팀 회의에서 상사의 구박을 받았다.			

390	구체		
具體	[구] 갖출 [체] 몸		concreteness

사물이 직접 경험하거나 지각할 수 있도록 일정한 형태와 성질을 갖춤.

이번 워크숍의 구체 일정이 확정되었으니 다들 확인해 주시기를 바랍니다.

391	국립		
國立	[국] 나라 [립] 설		national

공공의 이익을 위하여 나라의 예산으로 세우고 관리함.

일부 선진국의 대학들은 모두 국립으로 학생들은 등록금을 납부하지 않는다.

392	국보		
國寶	[국] 나라 [보] 보배		national treasure

나라의 보배.

제일 먼저 국보로 지정된 문화재는 서울 숭례문이다.

393	군무		
群舞	[군] 무리 [무] 춤출		group dance

여러 사람이 무리를 지어 춤을 춤. 또는 그 춤.

무용수들은 화려한 군무를 펼쳐 관객들을 압도했다.

394	군자		
君子	[군] 임금 [자] 접미사		gentleman
임금같이 행실이 점잖고 어질며 덕과 학식이 높은 사람.			
군자는 자신으로 인해 남이 피해를 볼까 늘 두려워한다.			

395	궁기		
窮氣	[궁] 다할 [기] 기운		meager appearance
궁한 기색.			
얼굴에 궁기를 드러내지 말아야 한다.			

396	궁리		
窮理	[궁] 다할 [리] 이치	consideration
사물의 이치를 깊이 연구함.		
궁리 끝에 생각해 낸 묘안이었다.		

397	권총		
拳銃	[권] 주먹 [총] 총	handgun
한 손으로 다룰 수 있는 짧고 작은 총.		
은행 강도는 권총을 공중에 발사하였다.		

398	귀속		
歸屬	[귀] 돌아갈 [속] 속할		reversion
재산이나 영토, 권리 따위가 특정 주체에 붙거나 딸림.			
그 사건의 책임은 그에게 귀속되었습니다.			

399	극도		
極度	[극] 극심할 [도] 지경		extreme
더할 수 없이 심한 정도.			
그는 극도의 스트레스를 받고 있다.			

400	극지		
極地	[극] 끝 [지] 땅		polar region
맨 끝에 있는 땅. 남극과 북극을 중심으로 한 그 주변 지역.			
그는 극지 탐험을 위해 북극으로 떠났습니다.			

401	근검		
勤儉	[근] 부지런할 [검] 검소할		diligence and frugality
부지런하고 검소함.			
그는 근검한 삶을 추구하였습니다.			

402	근동		
近東	[근] 가까울 [동] 동쪽		near east
유럽의 관점에서, 유럽과 가장 가까운 아시아의 서쪽 지역을 이르는 말.			
서양 사람들이 동양이라고 했을 때는 대체로 자기들과 지리적으로 가까웠던 근동을 가리킨다.			

403	**근래**	
近來	[근] 가까울 [래] 래	recently

가까운 요즈음.

근래에 와서 전원주택이 부쩍 늘었다.

404	**근사**	
近似	[근] 가까울 [사] 닮을	approximation

가깝거나 닮음.

계산이 예상과 근사하게 맞아떨어졌다.

405	**급식**	
給食	[급] 줄 [식] 밥	meal service

식사를 공급함.

그 학교는 학생들에게 맛있는 급식을 제공하였습니다.

406	**기교**	
技巧	[기] 재주 [교] 솜씨	technique

기술이나 솜씨가 아주 교묘함.

그는 오늘 독주회에서 고난도의 기교를 발휘하였다.

407	**기원전**	
紀元前	[기] 연대 [원] 으뜸 [전] 앞	BC (Before Christ)

기원 원년 이전. 주로 예수가 태어난 해를 원년으로 하는 서력 기원을 기준으로 하여 이른다.

고대 올림픽이 처음 시작된 것은 기원전 8세기쯤이라고 한다.

408	기행		
紀行	[기] 벼리 [행] 다닐		travel
여행하는 동안에 보고, 듣고, 느끼고, 겪은 것을 적은 것.			
그는 유럽 여행을 하며 기행문을 썼습니다.			

409	나약		
懦弱	[나] 무기력할 [약] 약할		weak
의지가 굳세지 못하고 약함.			
그녀는 마음이 나약해서 작은 일에도 쉽게 상처를 받는다.			

410	낭송		
朗誦	[낭] 밝을 [송] 읊조릴		recitation
크게 소리를 내어 글을 읽거나 욈.			
그녀는 시를 낭송하면서 감동을 주었다.			

411	노동		
勞動	[노] 일할 [동] 움직일		labor
몸을 움직여 일을 함.			
그는 노동을 해서 하루하루 먹고산다.			

412	노사		
勞使	[노] 일할 [사] 부릴		labor and management
노동자와 사용자를 아울러 이르는 말.			
노사는 밤샘 협상 끝에 서로 합의했다.			

413	노약		
老弱	[노] 늙을 [약] 약할	the old and weak
늙은 사람과 약한 사람을 통틀어 이르는 말.			
노약자에게 자리를 양보했다.			

414	논설		
論說	[논] 말할 [설] 말씀	editorial
어떤 주제에 관해 자기의 의견이나 주장을 조리 있게 설명함.			
그의 논설은 논리적이고 설득력이 있다.			

415	단축		
短縮	[단] 짧을 [축] 줄일	shorten
시간이나 거리 따위가 짧게 줄어듦. 또는 그렇게 줄임.			
지하철이 개통되어 출근 거리가 단축되었다.			

416	담임		
擔任	[담] 멜 [임] 맡길	charge
어떤 학급이나 학년 따위를 책임지고 맡아봄. 또는 그런 사람.			
스승의 날에 중학교 3학년 때 담임 선생님을 찾아뵈었다.			

417	도리		
道理	[도] 길 [리] 이치	reason
사람이 어떤 입장에서 마땅히 행하여야 할 바른길.			
스승에게 제자 된 도리를 다했다.			

418	도서관		
圖書館	[도] 그림 [서] 글 [관] 집		library

온갖 종류의 도서, 문서, 기록, 출판물 따위의 자료를 모아 두고 일반이 볼 수 있도록 한 시설.

그는 도서관에서 책을 읽으며 지식을 쌓았다.

419	독립		
獨立	[독] 홀로 [립] 설		independence

다른 것에 예속하거나 의존하지 아니하는 상태로 됨.

그 나라는 독립을 위해 싸웠다.

420	동지		
冬至	[동] 겨울 [지] 이를		winter solstice

일 년 중 낮이 가장 짧고 밤이 가장 길다는 날.

동지에는 동지팥죽을 먹습니다.

421	등반		
登攀	[등] 오를 [반] 매달릴		climbing

험한 산이나 높은 곳의 정상에 이르기 위하여 오름.

그는 산을 등반하는 것을 좋아한다.

422	만화		
漫畵	[만] 멋대로, 흩어질 [화] 그림		comics

이야기 따위를 간결하고 익살스럽게 그린 그림.

요즈음 유행하는 만화는 폭력적이다.

423	만연		
蔓延	[만] 덩굴 [연] 늘일		spread

식물의 줄기가 널리 뻗는다는 뜻으로, 전염병이나 나쁜 현상이 널리 퍼짐을 비유적으로 이르는 말.

부정부패의 만연이 더 이상 계속되어선 안 된다.

424	망극		
罔極	[망] 없을 [극] 끝		immeasurable

끝이 없음.
임금이나 어버이의 은혜가 한이 없음.
한이 없는 슬픔.

성은이 망극하옵니다.

425	매진		
賣盡	[매] 팔 [진] 다할		sell out

하나도 남지 아니하고 모두 다 팔려 동이 남.

우리가 극장에 도착했을 때는 이미 극장표가 매진이 된 뒤였다.

426	맥락		
脈絡	[맥] 맥 [락] 이을		context

사물 따위가 서로 이어져 있는 관계나 연관.

그의 발언은 맥락을 고려해야 이해할 수 있다.

427	**면역**		
免疫	[면] 면할 [역] 돌림병		immunity

몸속에 들어온 병원 미생물에 대항하는 항체를 생산하여 독소를 중화하거나 병원 미생물을 죽여서 다음에는 그 병에 걸리지 않도록 된 상태.

그는 면역력이 강해서 쉽게 감기에 걸리지 않는다.

428	**명일**		
明日	[명] 밝을 [일] 날		tomorrow

밝아올 다음 날. 내일.

명일 일정이 빠듯하니 일찍 잠자리에 들자.
명일 오전 10시에 기념식이 거행되오니 참석해 주시기를 바랍니다.

429	**목격**		
目擊	[목] 눈 [격] 부딪칠		witness

눈으로 직접 봄.

이번 사고는 목격을 한 사람이 나타나지 않아 처리하기가 어렵다.

430	**목욕**		
沐浴	[목] 머리 감을 [욕] 몸 씻을		bath

머리를 감으며 온몸을 씻는 일.

따뜻한 물로 목욕을 하니 피로가 싹 풀리네.

431	목적어		
目的語	[목] 눈 [적] 과녁 [어] 말씀		object
주요 문장 성분의 하나로, 타동사가 쓰인 문장에서 동작의 대상이 되는 말.			
그는 책을 읽었습니다. 여기서 '책'이 목적어입니다.			

432	무궁		
無窮	[무] 없을 [궁] 다할		infinite
공간이나 시간 따위가 끝이 없음.			
우리는 무궁한 가능성을 가지고 있습니다.			

433	묵념		
默念	[묵] 잠잠할 [념] 생각		meditation
묵묵히 생각에 잠김.			
순국열사에 대한 묵념을 올렸다.			

434	문방구		
文房具	[문] 글월 [방] 방 [구] 갖출		stationery
학용품과 사무용품 따위를 통틀어 이르는 말.			
문방구 가게에 가서 새로운 연필과 노트를 샀습니다.			

435	미천		
微賤	[미] 작을 [천] 천할		humble
신분이나 지위 따위가 하찮고 천함.			
그는 자신의 업적을 미천하다고 겸손하게 말했습니다.			

436	미용사		
美容師	[미] 아름다울 [용] 얼굴 [사] 스승		hairdresser

일정한 자격을 가지고 사람의 머리나 피부 따위를 아름답게 매만지는 일을 직업으로 하는 사람.

미용사가 내 머리를 잘라주고 염색해 주었습니다.

437	반론		
反論	[반] 반대로 [론] 말할		refute

남의 논설이나 비난, 논평 따위에 대하여 반박함.

그는 상대방의 반론을 듣고도 자신의 의견을 고수했습니다.

438	방과		
放課	[방] 놓을 [과] 매길, 공부		dismissal of a class

그날 하루에 하도록 정해진 학과가 끝남.

방과 후에 친구들과 운동장에서 축구를 했습니다.

439	배경		
背景	[배] 등 [경] 볕		background

뒤쪽의 경치.

그림의 배경에는 산과 강이 그려져 있습니다.

440	백성		
百姓	[백] 여러 [성] 성씨		people

나라의 근본을 이루는 일반 국민을 예스럽게 이르는 말.

왕은 백성의 안녕을 위해 노력했습니다.

441	벌목		
伐木	[벌] 칠 [목] 나무		logging

산이나 숲의 나무를 벰.

벌목으로 인해 산림이 파괴되고 있습니다.

442	변비		
便秘	[변] 똥오줌 [비] 숨길		constipation

대변이 대장 속에 오래 맺혀 있고, 잘 누어지지 아니하는 병.

변비가 있으면 물을 많이 마시고 식이섬유를 섭취해야 한다.

443	별안간		
瞥眼間	[별] 언뜻 볼 [안] 눈 [간] 사이		suddenly

눈 깜박하는 사이.

별안간에 벌어진 일이라 잘 기억이 나질 않는다.

444	보관		
保管	[보] 지킬 [관] 관리할		storage

물건을 맡아서 간직하고 관리함.

그는 중요한 서류를 보관함에 넣어 두었습니다.

445	보약		
補藥	[보] 도울 [약] 약		tonic

몸의 전체적 기능을 조절하고 저항 능력을 키워 주며 기력을 보충해 주는 약.

그녀는 보약을 먹고 건강을 챙기고 있습니다.

446	보어		
補語	[보] 도울 [어] 말씀		complement

주어와 서술어만으로는 뜻이 완전하지 못한 문장에서, 그 불완전한 곳을 보충하여 뜻을 완전하게 하는 수식어.

그는 학생이다. (이 문장에서 '학생'이 보어이다.)

447	보존		
保存	[보] 지킬 [존] 있을		preserve

잘 보호하고 간수하여 남김.

장기간 보존을 하시려면 반드시 냉장 보관을 하십시오.

448	복사		
複寫	[복] 겹칠 [사] 베낄		copy

원본을 베낌.

나는 그 책의 내용 중 쉬운 부분을 골라 부분적으로 복사를 해서 발표할 학생들에게 나누어주었다.

449	복제		
複製	[복] 겹칠 [제] 만들		reproduction

본디의 것과 똑같은 것을 만듦.

과학자들은 양을 복제하는 실험에 성공했습니다.

450	**본론**	
本論	[본] 뿌리 [론] 말할	main point

말이나 글에서 주장이 있는 부분.

그는 서론과 결론을 생략하고 본론만 간결하게 말했습니다.

451	**부귀**	
富貴	[부] 넉넉할 [귀] 귀할	riches and honors

재산이 많고 지위가 높음.

대부분 사람은 권세와 부귀를 누리고 싶어 한다.

452	**부도**	
附圖	[부] 붙을 [도] 그림	attached map

어떤 책에 부속된 지도나 도표.

수업을 위해 사회과 부도를 준비했다.

453	**부사**	
副詞	[부] 도울 [사] 말씀	adverb

동사, 형용사, 다른 부사 등을 꾸며주는 말.

'무척 가파르다'라는 문장에서 '무척'은 '가파르다'를 꾸며주는 부사입니다.

454	**분실물**		
紛失物	[분] 어수선한 [실] 잃을 [물] 만물	lost item

자기도 모르는 사이에 잃어버린 물건.

분실물 센터에서 가방을 찾았다.

455	분위기		
雰圍氣	[분] 안개 [위] 둘레 [기] 기운		atmosphere

안개처럼 어떤 장소나 상황에 흐르는 느낌이나 정서.

이곳은 분위기가 아늑하고 조용하다.

456	분주		
奔走	[분] 달리다 [주] 달릴		busy

몹시 바쁘게 뛰어다님.

그는 일이 분주해서 친구들과 만나기 어렵다.

457	불공평		
不公平	[불] 아닐 [공] 공정할 [평] 평평할		unfair

한쪽으로 치우쳐 고르지 못함.

그는 불공평한 대우를 받아서 분개했다.

458	비만		
肥滿	[비] 살찔 [만] 넉넉할		fatness

살이 쪄서 몸이 뚱뚱함.

비만은 다양한 질병의 원인이 될 수 있다.

459	비속		
卑俗	[비] 낮을 [속] 속될		vulgarity

격이 낮고 속됨.

그는 비속한 언어를 쓰는 것을 좋아하지 않았습니다.

460	빈천		
貧賤	[빈] 가난할 [천] 천할		poverty and lowliness

가난하고 천함.

그는 빈천의 처지에서도 자신의 꿈을 포기하지 않았습니다.

461	빙산		
氷山	[빙] 얼음 [산] 메		iceberg

빙하에서 떨어져 나와 호수나 바다에 흘러 다니는 얼음덩어리.

그 배는 빙산과 충돌하여 침몰했습니다.

462	사극		
史劇	[사] 역사 [극] 연극		historical drama

역사에 있었던 사실을 바탕으로 하여 만든 연극이나 희곡.

사극은 과거의 문화나 의복, 풍속 등을 재현하기 때문에 복장이 중요합니다.

463	사물함		
私物函	[사] 사사로울 [물] 만물 [함] 상자		locker

개인의 물건을 넣어 두는 상자.

학생들은 사물함에 교과서나 필기도구 등을 보관합니다.

464	사보		
社報	[사] 모일 [보] 알릴		company newsletter

회사에서 내는 정기 간행물.

우리 회사에서 다음 달부터 사보를 발행하기로 했다.

465	**사서**		
史書	[사] 역사 [서] 책		history book

역사를 기록한 책.

고대 중국의 사서 중에는 '사기'가 유명합니다.

466	**사서**		
司書	[사] 맡을 [서] 책		librarian

책을 맡아 관리하는 사람.

그녀는 학교 도서관에서 사서로 일하고 있다.

467	**사자**		
使者	[사] 부릴 [자] 사람		envoy

명령이나 부탁받고 심부름하는 사람.

왕명을 받은 사자는 급히 대신에게 달려가 어명을 전하였다.

468	**사촌**		
四寸	[사] 넉 [촌] 관계		cousin

어버이의 친형제 자매의 아들이나 딸을 촌수로 따져 이르는 말.

우리 집안은 사촌끼리 사이가 좋아 자주 모이는 편이다.

469	**사환**		
使喚	[사] 부릴 [환] 부를		errand boy

관청이나 회사, 가게에서 잔심부름을 시키기 위해 고용한 사람.

김 주임은 사환에게 회의에 쓸 자료를 복사하라고 시켰다.

470	산란		
散亂	[산] 흩을 [란] 어지러울		distracted
질서나 조화가 깨지고 흩어지거나 어지러움.			
조카들이 놀다가 둔 장난감들 때문에 방이 너무 산란했다.			

471	삼선		
三鮮	[삼] 셋 [선] 고울		premium
요리에서 말하는 삼선은 세 가지 진귀하고 신선한 재료를 말한다.			
삼선 짜장면, 삼선 짬뽕			

472	상주		
常住	[상] 항상 [주] 살		residence
어떤 지역에 항상 머물러 있거나 생활함.			
그는 서울에 상주하면서 사업을 하고 있습니다.			

473	생시		
生時	[생] 날 [때] 시		reality
태어난 시간. 자지 않고 깨어 있을 때.			
생시를 정확하게 알아야 사주팔자도 정확하게 나온다. 이것이 꿈이냐 생시냐?			

474	서림		
書林	[서] 쓸 [림] 숲		bookstore

책을 갖추어 놓고 팔거나 사는 가게.

그는 서림에 가서 책을 구매했습니다.

475	서사		
敍事	[서] 쓸, 펼 [사] 일		narrate

사실이나 사건이 발생한 차례대로 적음.

그는 자신의 경험을 서사적으로 써 내려갔습니다.

476	서술어		
敍述語	[서] 차례 [술] 지을 [어] 말씀		predicate

한 문장에서 주어의 움직임, 상태, 성질 따위를 서술하는 말.

그는 책을 읽었다. 여기서 '읽었다'는 서술어이다.

477	선생		
先生	[선] 먼저 [생] 날		teacher

먼저 태어남.
학생을 가르치는 사람.

그는 수학 선생님이다.

478	세배		
歲拜	[세] 해 [배] 절		new year's bow

섣달그믐이나 정초에 웃어른께 인사로 하는 절.

세배가 끝나고 할머니는 손자들에게 세뱃돈을 주셨다.

479	세수	
洗手	[세] 씻을 [수] 손	wash one's face
손이나 얼굴을 씻음.		
그는 아침에 일어나서 세수했다.		

480	소각	
燒却	[소] 불사를 [각] 물리칠	incineration
불에 태워 없애 버림.		
그는 증거를 소각했다.		

481	소모	
消耗	[소] 사라질 [모] 줄	consumption
연료나 에너지 따위를 써서 없앰.		
그는 운동으로 많은 칼로리를 소모했다.		

482	속담	
俗諺	[속] 속될 [담] 이야기	proverb
예로부터 민간에 전하여 오는 쉬운 격언이나 잠언. 속된 이야기.		
속담에 '가는 날이 장날'이라고 하지 않습니까?		

483	수면	
睡眠	[수] 잘 [면] 잠	sleep
잠을 잠.		
그는 하루에 8시간의 수면이 필요하다고 말했다.		

484	수식어		
修飾語	[수] 닦을 [식] 꾸밀 [어] 말씀		modifier

문장의 표현을 더 분명하거나 아름답게 또는 효과적으로 전달할 수 있도록 꾸미는 말.

그는 '두꺼운' 책을 읽었다. 여기서 '두꺼운'은 수식어이다.

485	수탈		
掠奪	[수] 거둘 [탈] 빼앗을		plunder

강제로 빼앗음.

적군은 도시를 점령하고 수탈했다.

486	순사		
巡査	[순] 돌 [사] 살필		patrolman

일제 강점기, 경찰관의 최하위 계급. 또는 그 사람.
지금의 순경에 해당한다.

외할아버지는 해방 전에 일본인 순사에게 잡혀 고초를 겪은 적이 있으시다.

487	시상대		
施賞臺	[시] 베풀 [상] 상줄 [대] 돈대		podium

주로 경기 따위에서, 등수에 든 선수들이 올라가서 상을 받도록 만든 것.

그는 시상대에 올라가서 수상 소감을 말했다.

488	시청		
市廳	[시] 도시 [청] 관청		city hall
시의 행정을 담당하는 기관이나 건물.			
그는 시청에 가서 민원을 접수했다.			

489	식언		
食言	[식] 먹을 [언] 말씀		eat one's words
한번 입 밖에 낸 말을 도로 입 속에 넣는다는 뜻으로, 약속한 말대로 지키지 아니함을 이르는 말.			
정치인들은 국민의 기억력을 조롱하듯 식언을 일삼는다.			

490	신약		
新藥	[신] 새 [약] 약		new drug
새롭게 개발된 약.			
이 신약은 암 치료에 획기적인 효과를 보여준다고 합니다.			

491	실시		
實施	[실] 실제 [시] 베풀		implementation
실제로 시행함.			
길거리 금연 법안의 실시는 흡연자들의 반발을 살 수 있다.			

492	심란		
心亂	[심] 마음 [란] 어지러울		disturbed
마음이 어수선함.			
마음이 심란하여 일이 손에 안 잡힌다.			

493	악기		
樂器	[악] 즐거울 [기] 도구		musical instrument

음악 연주를 위해 쓰는 기구를 통틀어 이르는 말.

그는 여러 가지 악기를 다룰 수 있어서 음악적 재능이 뛰어납니다.

494	안락사		
安樂死	[안] 편안할 [락] 즐길 [사] 죽을		euthanasia

극심한 고통을 받는 불치의 환자에 대하여, 본인 또는 가족의 요구에 따라 고통이 적은 방법으로 생명을 단축하는 행위.

그녀는 암으로 고통스러운 삶을 살다가 안락사를 요청했습니다.

495	양계		
養鷄	[양] 기를 [계] 닭		poultry farming

닭을 먹여 기름.

양계업자들은 새로운 가축전염병에 대비하고 있습니다.

496	양말		
洋襪	[양] 서양 [말] 버선		socks

맨발에 신도록 실이나 섬유로 짠 것.

내가 어렸을 때는 양말에 구멍이 나면 몇 번이고 다시 꿰매어 신었다.

497	어사	
御史	[어] 거느릴 [사] 사기	royal emissary

왕명으로 특별한 사명을 띠고 지방에 파견되던 임시 벼슬.

그는 왕에게 충성하고 백성들을 위해 탐관오리들을 벌하는 훌륭한 어사였다.

498	엄동	
嚴冬	[엄] 혹독할 [동] 겨울	severe winter

몹시 추운 겨울.

아이들은 혹독한 엄동에 털장갑 하나 없이 떨어야 했다.

499	여가	
餘暇	[여] 남을 [가] 겨를	leisure

일이 없어 남는 시간.

그는 여가를 활용하여 운동한다.

500	여전	
如前	[여] 같을 [전] 앞	as before

전과 같다.

그는 여전히 자신의 꿈을 이루기 위해 노력하고 있습니다.

501	열사	
烈士	[열] 굳셀 [사] 선비	patriotic martyr

나라를 위하여 절의를 굳게 지키며 충성을 다하여 싸운 사람.

독립운동하다 목숨을 잃은 열사들이 묻힌 곳이다.

502	**열차**	
列車	[렬] 벌일 [차] 수레	train
여러 개의 찻간을 길게 이어 놓은 차량.		
그는 서울로 가는 마지막 열차를 타기 위해 뛰어갔다.		

503	**영어**	
英語	[영] 영국 [어] 말씀	english
인도 · 유럽 어족 게르만 어파의 서게르만 어군에 속한 언어.		
미국에서 오래 살다 온 철희는 영어를 유창하게 했다.		

504	**영특**	
英特	[영] 뛰어날 [특] 특별할	outstanding
뛰어나게 특출하다.		
그 집 아들은 벌써 구구법을 외울 정도로 영특하다.		

505	**예매**	
豫買	[예] 미리 [매] 살	reservation
물건을 받기 전에 미리 값을 치르고 사 둠.		
귀성 차표의 예매를 서둘렀다.		

506	**예보**	
預報	[예] 미리 [보] 알릴	forecast
앞으로 일어날 일을 미리 알림.		
많은 눈이 오겠다던 예보가 빗나갔다.		

507	오답		
誤答	[오] 그르칠 [답] 대답		wrong answer
잘못된 대답.			
이번 시험은 어려웠는지 오답이 많았다.			

508	오염		
汚染	[오] 더러울 [염] 물들일		pollution
더럽게 물듦.			
환경오염은 인간의 건강과 생태계에 심각한 피해를 입힙니다.			

509	오전		
午前	[오] 낮 [전] 앞		morning
0시(자정)부터 12시(정오)까지의 시간.			
오전에 일찍 일어나 운동을 하면 건강에 좋다.			

510	완주		
完走	[완] 완전할 [주] 달릴		run the whole course
목표한 지점까지 완전히 다 달림.			
마라톤 경기에 참가하는 일반 시민들은 대부분 기록보다는 완주가 목표이다.			

511	왜곡		
歪曲	[왜] 비뚤 [곡] 굽을		distortion
사실과 다르게 해석하거나 그릇되게 함.			
언론은 사실을 왜곡하지 않고 정확하게 보도해야 합니다.			

512	**왜래어**		
外來語	[왜] 밖 [래] 올 [어] 말씀		foreign word
외국에서 들어온 말로 국어에서 널리 쓰이는 단어.			
한국어에는 커피, 피자 같은 많은 왜래어가 있다.			

513	**용지**		
用地	[용] 쓸 [지] 땅		lot
어떤 일에 쓰기 위한 토지.			
건물을 지으려면 먼저 용지를 매입해야 한다.			

514	**우수**		
優秀	[우] 뛰어날 [수] 빼어날		excellent
가운데 뛰어나고 빼어남.			
그는 우수한 학생으로 선생님들의 칭찬을 받았다.			

515	**원동력**		
原動力	[원] 근원 [동] 움직일 [력] 힘		driving force
어떤 움직임의 근본이 되는 힘.			
많은 나라에서 한국의 경제 발전의 원동력을 연구하고 있다.			

516	**유기**		
有機	[유] 있을 [기] 틀		organic
생명을 가지며, 생활 기능이나 생활력을 갖추고 있음.			
유기농 재배법은 환경과 건강에 좋습니다.			

517	유도탄		
誘導彈	[유] 꾈 [도] 이끌 [탄] 탄알		guided missile

무선, 레이다, 적외선 따위의 유도에 따라 목표물에 닿아서 폭발하도록 만든 포탄이나 폭탄. 대개 핵탄두 따위의 탄두를 장비하고 로켓이나 제트 엔진에 의하여 발사·추진된다.

유도탄은 적의 방어를 피해 치명적인 타격을 가할 수 있습니다.

518	유언		
遺言	[유] 남길 [언] 말씀		will

죽음에 이르러 말을 남김.

그녀의 시신은 유언대로 화장해서 그 뼛가루는 바다에 뿌려졌다.

519	유유		
悠悠	[유] 멀 [유] 멀		leisurely

움직임이 한가하고 여유가 있고 느림.

그는 유유히 산책하며 풍경을 감상했습니다.

520	유전		
遺傳	[유] 남길 [전] 전할		heredity

물려받아 내려옴.

그는 아버지의 유전으로 키가 크고 머리가 좋았습니다.

521	위문	
慰問	[위] 달랠 [문] 물을	consolatory visit

위로하기 위하여 문안하거나 방문함.

친구가 병원에 입원하자, 나는 그에게 꽃과 선물을 가지고 위문갔다.

522	은어	
隱語	[은] 숨길 [어] 말씀	slang

어떤 계층이나 부류의 사람들이 다른 사람들이 알아듣지 못하도록 자기네 구성원들끼리만 빈번하게 사용하는 말.

요즈음 청소년들의 은어는 나이 든 세대에서는 이해하기 어려운 경우가 많다.

523	이윤	
利潤	[이] 이로울 [윤] 윤택할	profit

장사 따위를 하여 남은 돈.

이 일이 당장 이윤은 박해도 수입이 꾸준해서 안정적이고 좋다.

524	이재민	
遺災民	[이] 걸릴 [재] 재앙 [민] 백성	disaster victim

재해를 입은 사람.

태풍으로 인해 수많은 이재민이 피난소에 머물고 있다.

525	인공		
人工	[인] 사람 [공] 장인		artificial
사람이 하는 일.			
그 집 정원에 들어서자마자 가장 먼저 눈에 띈 것은 인공으로 만든 작은 연못이었다.			

526	인솔		
引率	[인] 끌 [솔] 거느릴		guide
여러 사람을 이끌고 감.			
선생님의 인솔 아래 섬 아이들은 육지를 여행하였다.			

527	자긍심		
自矜心	[자] 스스로 [긍] 자랑할 [심] 마음		self-esteem
스스로 긍지를 가지는 마음.			
그는 자신의 성공에 대해 자긍심을 느꼈다.			

528	자전거		
自轉車	[자] 스스로 [전] 구를 [거] 수레		bicycle
사람이 타고 앉아 두 다리의 힘으로 바퀴를 돌려서 가는 탈것.			
그는 자전거로 학교에 다니고 있다.			

529	자주		
自主	[자] 스스로 [주] 주인		autonomy
남의 보호나 간섭받지 아니하고 자기 일을 스스로 처리함.			
그는 자주적인 성격으로 남의 간섭을 싫어했다.			

530	자정		
自淨	[자] 스스로 [정] 깨끗할		self-purification

오염된 물이나 땅 따위가 물리학적 · 화학적 · 생물학적 작용으로 저절로 깨끗해짐.
어떤 집단이나 사회의 잘못된 것을 스스로 바로잡음을 비유적으로 이르는 말.

생태계는 자정 능력이 있다.

531	자판기		
自販機	[자] 스스로 [판] 팔 [기] 틀		vending machine

사람의 손을 빌리지 아니하고 상품을 자동적으로 파는 장치.

자판기에서 커피를 사서 마시다가, 친구와 마주쳤다.

532	잔해		
殘害	[잔] 남을 [해] 뼈		ruins

썩거나 타다가 남은 뼈.
부서지거나 못 쓰게 되어 남아 있는 물체.

공룡으로 추정되는 거대한 동물의 잔해가 발견되었다.

533	잡지		
雜誌	[잡] 섞일 [지] 기록할		magazine

정한 이름을 가지고 호를 거듭하며 정기적으로 간행하는 출판물.

그는 잡지를 구독해서 매달 읽고 있다.

534	장학금		
獎學金	[장] 장려할 [학] 배울 [금] 돈		scholarship
주로 성적은 우수하지만, 경제적인 이유로 학업에 어려움을 겪는 학생에게 보조해 주는 돈.			
그는 장학금을 받아서 대학에 진학할 수 있었다.			

535	재활용		
再活用	[재] 다시 [활] 살 [용] 쓸		recycling
폐품 따위의 용도를 바꾸거나 가공하여 다시 씀.			
재활용은 자원의 절약과 환경의 보호에 도움이 된다.			

536	저렴		
低廉	[저] 낮을 [렴] 값쌀		cheap
물건 따위의 값이 쌈.			
저렴한 가격에 좋은 물건을 살 수 있어서 다행이다.			

537	저수지		
貯水池	[저] 쌓을 [수] 물 [지] 못		reservoir
물을 모아 두기 위하여 하천이나 골짜기를 막아 만든 큰 못.			
저수지에서 물을 공급받는 마을은 가뭄에도 안전하다.			

538	적선		
積善	[적] 쌓을 [선] 착할		give alms
착한 일을 많이 함.			
그는 어려운 사람들을 위해 적선을 많이 베푼다.			

539	저작권		
著作權	[저] 지을 [작] 지을 [권] 권리		copyright
법률 문학, 예술, 학술에 속하는 창작물에 대하여 저작자나 그 권리 승계인이 행사하는 배타적·독점적 권리.			
저작권을 침해하는 행위는 법적으로 처벌받을 수 있다.			

540	전사		
戰士	[전] 싸울 [사] 선비		warrior
전투하는 군사.			
그는 전사로서 목숨을 바칠 준비가 되어 있었다.			

541	전염병		
傳染病	[전] 전할 [염] 물들일 [병] 병		infectious disease
전염성을 가진 병들을 통틀어 이르는 말.			
코로나19는 심각한 전염병으로 세계적인 위기를 야기했다.			

542	전학		
轉學	[전] 옮길 [학] 배울		change schools
다니던 학교에서 다른 학교로 학적을 옮겨 가서 배움.			
그는 부모님의 이사 때문에 전학했다.			

543	절정		
絶頂	[절] 뛰어날, 끊을 [정] 꼭대기		peak
산의 맨 꼭대기.			
사건을 둘러싼 긴장은 절정으로 치닫고 있었다.			

544	정가		
定價	[정] 정할 [가] 값		fixed price

상품에 일정한 값을 매김.

이 책은 정가가 15,000원이지만, 할인된 가격으로 팔고 있다.

545	정류장		
停留場	[정] 머물 [류] 머무를 [장] 마당		stop

스나 택시 따위가 사람을 태우거나 내려 주기 위하여 머무르는 일정한 장소.

저는 학교 갈 때 집 앞 정류장에서 버스를 타고 갑니다.

546	조수		
潮水	[조] 바닷물 [수] 물		tide

밀물과 썰물을 통틀어 이르는 말.

조수가 다 빠지기를 기다려 갯벌로 나갔다.

547	주번		
週番	[주] 주일 [번] 차례		weekly duty

한 주일 동안씩 교대로 하는 근무.

그는 주번 활동 때문에 일주일 동안 학교에 일찍 나가야 한다.

548	주석		
註釋	[주] 글 뜻 풀 [석] 풀이할		annotation

낱말이나 문장의 뜻을 쉽게 풀이함.

이 책은 난해한 용어나 문장에 주석을 달았다.

549	주어		
主語	[주] 주인 [어] 말씀		subject

주요 문장 성분의 하나로, 술어가 나타내는 동작이나 상태의 주체가 되는 말.

문장에서 주어는 보통 동사나 형용사 앞에 위치합니다.

550	지각		
遲刻	[지] 늦을 [각] 시각		lateness

정해진 시각보다 늦게 출근하거나 등교함.

학생들은 수업에 지각하지 않도록 미리 집을 나가야 합니다.

551	지경		
地境	[지] 땅 [경] 경계		border

나라나 지역 따위의 구간을 가르는 경계.
어떤 처지나 형편.

지경을 넓히고 있다.
어쩌다 이 지경이 될 때까지 있었느냐?

552	지천		
至賤	[지] 지극할 [천] 천할		abundance

더할 나위 없이 천함.

봄이 한창이라 들에는 꽃들이 지천으로 피어 있다.

553	지향	
指向	[지] 가리킬 [향] 향할	direction

작정하거나 지정한 방향으로 나아감. 또는 그 방향.

핵무기 감축은 세계 평화의 지향으로 이어진다.

554	진공	
眞空	[진] 참 [공] 빌	vacuum

물질이 전혀 존재하지 아니하고 진정으로 비어있는 곳.

진공 상태에서는 소리가 전달되지 않습니다.
진공으로 포장하면 음식을 오래 보존할 수 있다.

555	진상	
眞相	[진] 참 [상] 모양	truth

참된 모습.
사물이나 현상의 거짓 없는 모습이나 내용.

사건의 진상을 밝혀내기 위해 경찰은 수사를 벌였습니다.

556	징병	
徵兵	[징] 부를 [병] 군사	conscription

국가가 법령으로 병역 의무자를 강제적으로 징집하여 일정 기간 병역에 복무시키는 일.

대한민국은 징병제를 시행하고 있어서 남성은 의무적으로 군 복무를 해야 합니다.

557	청진기		
聽診器	[청] 들을 [진] 살펴볼 [기] 그릇		stethoscope

의사가 환자의 심장, 폐 등의 소리를 듣기 위해 사용하는 기구.

의사는 청진기로 환자의 호흡과 심박을 확인했습니다.

558	초등		
初等	[초] 처음 [등] 무리, 등급		elementary

차례가 있는 데서 맨 처음 등급.

그는 초등학교에서 선생님으로 재직하고 있습니다.

559	추론		
推論	[추] 밀 [론] 논할		inference

미루어 생각하여 논함.

그는 관찰한 자료를 바탕으로 추론하여 가설을 세웠습니다.

560	추호		
秋毫	[추] 가을 [호] 터럭		a little bit

가을철에 털갈이하여 새로 돋아난 짐승의 가는 털.

당신을 모욕할 생각은 추호도 없었습니다.

561	축산		
畜産	[축] 가축 [산] 낳을		stock raising

가축을 길러 생활에 유용한 물질을 생산하는 일.

축산업은 농촌의 소득원이 되고 있습니다.

562	태자		
太子	[태] 클 [자] 아들		crown prince

예전에, 황제의 자리를 이을 황제의 아들을 이르던 말.

황제가 죽고 태자가 그 자리를 물려받자 제국 곳곳에서 반란이 일어났다.

563	투호		
投壺	[투] 던질 [호] 단지		Tuho (arrow-throwing)

두 사람이 일정한 거리에서 청·홍의 화살을 던져 병 속에 많이 넣는 수효로 승부를 가리는 놀이.

그 왕후는 상궁들과 더불어 투호를 즐겼다.

564	파견		
派遣	[파] 지류, 보낼 [견] 보낼		dispatch

일정한 임무를 주어 사람을 보냄.

우리 회사는 해외 사업을 위해 직원들을 파견하고 있습니다.

565	파괴		
破壞	[파] 깨뜨릴 [괴] 무너질		destruction

때려 부수거나 깨뜨려 헐어 버림.

전쟁은 많은 것들을 파괴하고 인간의 삶을 위협합니다.

566	편입		
編入	[편] 엮을 [입] 들		transfer

얽거나 짜 넣음.
첫 학년에 입학하지 않고 어떤 학년 도중에 들어가거나 다니던 학교를 그만두고 다른 학교에 들어감.

그는 다른 학교에서 3학년까지 다니다가 우리 학교로 편입을 한 학생이다.

567	폐회		
閉會	[폐] 닫을 [회] 모일		closing

집회나 회의가 끝남.

올림픽은 개막식과 폐회식으로 시작하고 끝난다.

568	피란		
避亂	[피] 피할 [란] 어지러울		refuge

난리를 피하여 옮겨 감.

전쟁이 일어나자 많은 사람이 피란하였습니다.

569	혈당		
血糖	[혈] 피 [당] 엿		blood sugar

혈액 속에 포함되어있는 당.

당뇨병은 혈당 조절이 잘 되지 않는 질환입니다.

570	화급		
火急	[화] 불 [급] 급할		urgent
걷잡을 수 없이 타는 불과 같이 매우 급함.			
휴일 새벽에 화급을 다투는 환자가 있다며 빨리 병원으로 와 달라는 호출을 받았다.			

571	황폐		
荒廢	[황] 황량할 [폐] 그만둘		desolation
집, 토지, 삼림 따위가 거칠어져 못 쓰게 됨.			
전쟁으로 인해 많은 땅이 황폐해졌습니다.			

572	휴게실		
休憩室	[휴] 쉴 [게] 쉴 [실] 방		lounge
잠깐 머물러 쉴 수 있도록 마련해 놓은 방.			
학교에는 학생들을 위한 휴게실이 있습니다.			

찾아보기